介護過程とは ①

同じ片麻痺のある人に対して，同じ支援でよい？

男性　81歳　脳梗塞による右片麻痺

もう歳だからね。仕方ないよ。
でも孫が心配してくれるから，
リハビリがんばらないとなぁ…！

女性　75歳　くも膜下出血による左片麻痺

足を引きずって歩くなんて…
恥ずかしくて外に出たくないわ

男性　35歳　脳性麻痺による右片麻痺

今は施設暮らしだけど，
機能訓練をして自宅で暮らしたい

介護過程とは②

アセスメント

(情報収集) (情報の解釈・関連づけ・統合化)

○○さんはどんな人だろう？

○○さんにはこんな支援が必要だと思う

評価

もっとこうすればよくなるかも？

介護計画の立案

目標：自分の手を使って食事ができる

レクリエーションで指の体操をする

介護の実施

指を動かしましょう

ケアマネジメントと介護過程の関係性

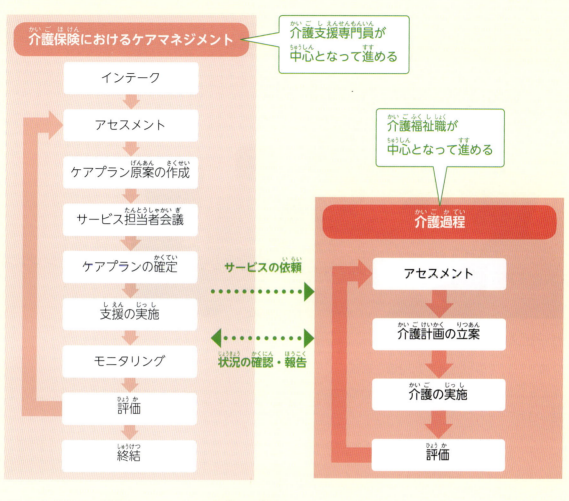

多職種連携の実現のための一場面

サービス担当者会議
介護サービスの担当者や利用者，家族などを交え，ケアプランの内容について話し合う

事業所内カンファレンス
同じ施設や事業所内の他職種との情報共有などを行う

最新
介護福祉士養成講座

編集 介護福祉士養成講座編集委員会

9

介護過程

第2版

中央法規

『最新 介護福祉士養成講座』初版刊行にあたって

　1987(昭和62)年に「社会福祉士及び介護福祉士法」が制定され、介護福祉職の国家資格である介護福祉士が誕生してから30年以上が経ちました。2018(平成30)年11月末現在、資格取得者(登録者)は162万3974人に達し、施設・在宅を問わず地域における介護の中核をになう存在として厚い信頼をえています。

　近年では、世界に類を見ないスピードで進む高齢化に対応する日本の介護サービスは国際的にも注目を集めており、アジアをはじめとする海外諸国から知識と技術を学びに来る学生が増えています。

　もともと介護福祉士が生まれた背景には、戦後の高度経済成長にともなう日本社会の構造的な変化がありました。資格誕生から今日にいたるまでのあいだも社会は絶えず変化を続けており、介護福祉士に求められる役割と期待はますます大きくなっています。そのような背景のもと、今後さらに複雑化・多様化・高度化していく介護ニーズに対応できる介護福祉士を育成するために、2018(平成30)年に10年ぶりに養成カリキュラムの見直しが行われました。

　当編集委員会は、資格制度が誕生した当初から、介護福祉士養成のためのテキスト『介護福祉士養成講座』を刊行してきました。福祉関係八法の改正、社会福祉法や介護保険法の施行など、時代の動きに対応して、適宜記述内容の見直しや全面改訂を行ってきました。そして今般、本講座を新たなカリキュラムに対応した内容に刷新するべく『最新 介護福祉士養成講座』として刊行することになりました。

　『最新 介護福祉士養成講座』の特徴としては、次の事項があげられます。

① 介護福祉士養成のための標準的なテキストとして国の示したカリキュラムに対応
② 現場に出たあとでも立ち返ることができ、専門性の向上に役立つ
③ 講座全体として科目同士の関連性も見える
④ 平易な表現や読みがなにより、日本人学生と外国人留学生がともに学べる
⑤ オールカラー(11巻、15巻)、AR(拡張現実:6巻、7巻、15巻)の採用などビジュアル面への配慮

　本講座が新しい時代にふさわしい介護福祉士の養成に役立ち、さらには本講座を学んだ方々が広く介護福祉の世界をリードする人材へと成長されることを願ってやみません。

2019(平成31)年3月
介護福祉士養成講座編集委員会

はじめに

　「介護過程」はほかの関連科目で学んだ介護福祉の知識や技術を、実際の利用者支援に向けてどのようにいかしていくのかを考える科目です。

　利用者はそれぞれにいろいろな生活歴を重ねています。また、その状態像もさまざまです。そのため、決まりきった支援の方法はありません。本人の望む生活の実現に向けて1人ひとりに適切な支援（個別ケア）を導き出すためには、単に介護福祉の知識・技術を覚えるだけでは不十分で、そのために介護過程があります。

　ほかの科目で学んだことをいかして、個別ケアを具体的に実現する方法を身につけるために、介護過程は大変重要な科目です。これをしっかりと習得できるよう、本書では次のような構成としました。

　まず、第1章・第2章で介護過程を行う意義と目的、その進め方を解説します。第2版では、いただいた声を参考に、学生が介護過程をより身近に感じ、直観的に理解できるような具体例を豊富に取り入れるとともに、アセスメントの解説をシンプルにしました。

　第3章では、第1章・第2章の内容をもとに、利用者の状態や状況に応じた介護過程の実際を個別の事例を通して説明します。第2版では、生活課題のあらわし方について見直しを行い、より利用者の意思が読み取りやすいような表現に改めています。

　第4章では、介護過程というプロセスがケアマネジメントという、もっとより大きなプロセスのなかの1つであることを学びます。

　最後に第5章では、さまざまな背景をもつ利用者への介護過程の展開を物語形式の事例として読むことができます。これを読み、利用者の「生活の多様性」について具体的なイメージを抱いてほしいと考えています。

　本書を読むうえでもっとも意識していただきたいのは、アセスメント（第2章第2節・第3節）です。なぜなら、アセスメントがどの程度できるかがその後の介護過程の展開、ひいては利用者の尊厳を守る介護につながるからです。

　このアセスメントの思考過程の進め方は、編集委員会で侃々諤々の議論をし、できる限りの最適解を導き出しました。しかしこれらは、介護福祉分野で統一された見解があるわけではないので、「進め方」にこだわるのではなく、利用者の生活課題が適切に導き出せているかに着目してください。

　このアセスメントの思考過程の進め方を含め、もし今後お気づきになった点があれば、お寄せいただき、いただいた声を参考にし、次回の改訂にいかしていきたいと考えています。

編集委員一同

最新 介護福祉士養成講座 9　**介護過程**　第 2 版

目次

『最新 介護福祉士養成講座』初版刊行にあたって

はじめに

第 1 章　介護過程とは

第 1 節　介護過程とは …………………………………………………… 2
1　介護過程の意義・目的 … 2
2　介護過程の全体像 … 9
演習1-1　介護過程の展開の理解 … 23
演習1-2　アセスメントの疑似体験「クラスメイトへ旅行先の提案」… 24

第 2 節　介護過程における事例検討・事例研究の必要性 …………… 25
1　事例検討（ケースカンファレンス）… 25
2　事例研究（ケーススタディ）… 28
3　倫理的な配慮 … 29
4　介護福祉分野で使用する「計画」… 31

第 2 章　介護過程の理解

第 1 節　介護過程の展開 ………………………………………………… 34
1　アセスメント … 35
2　介護計画の立案 … 35
3　介護の実施 … 35
4　評価 … 36

第 2 節　アセスメント（情報収集）……………………………………… 38
1　情報収集の意義 … 38
2　アセスメントと情報収集 … 39
3　情報収集の方法（ICFモデルの活用）… 40
演習2-1　情報収集とは … 46
演習2-2　情報収集とICF … 47

第 3 節　アセスメント（解釈・関連づけ・統合化） …………………… 48
- 1　解釈・関連づけ・統合化とは … 48
- 2　解釈・関連づけ・統合化に必要な姿勢 … 49
- 3　本書におけるアセスメントの視点 … 50
- 4　解釈・関連づけ・統合化のトレーニング … 51
- 5　生活課題の明確化 … 55
- 演習2-3　アセスメント（情報の解釈・関連づけ・統合化）の確認 … 62
- 演習2-4　情報の解釈をしてみよう … 63
- 演習2-5　情報の質と量の大切さを考える … 64

第 4 節　介護計画の立案 …………………………………………………… 65
- 1　介護計画とは … 65
- 2　介護目標の設定 … 65
- 3　具体的な支援内容・支援方法の決定 … 71
- 演習2-6　介護計画の立案における留意点 … 75

第 5 節　介護の実施 ………………………………………………………… 76
- 1　介護の実施とは … 76
- 2　実施における留意点 … 77
- 3　実施の記録 … 79

第 6 節　評価 ………………………………………………………………… 82
- 1　評価の意義と目的 … 82
- 2　評価の内容と方法 … 83
- 演習2-7　介護過程における評価の確認 … 87

第 3 章　介護過程の実践的展開

第 1 節　介護過程の実践的展開 …………………………………………… 90
- 1　本章の目的と構成 … 90
- 2　事例で学ぶ介護過程の展開 … 92

第 2 節　「介護過程」展開の実際 ………………………………………… 94
- 事例1　グループホームにおける認知症高齢者の事例 … 94
- 事例2　脳性麻痺のある男性の事例 … 107
- 事例3　在宅における脳血管疾患のある女性の事例 … 120
- 事例4　介護老人福祉施設におけるターミナル期の女性の事例 … 132

第4章 介護過程とケアマネジメント

第1節 介護過程とケアマネジメントの関係性 …………………… 144
1 ケアマネジメントの全体像 … 144
2 ケアプランと個別援助計画の関係性 … 149

演習4-1 ケアマネジメントと介護過程の関係 … 155

第2節 チームアプローチにおける介護福祉士の役割 ……………… 156
1 チームアプローチの意義 … 156
2 チームアプローチの実際 … 161

演習4-2 チームアプローチの意義と実際 … 165

第5章 利用者の生活と介護過程の展開

第1節 利用者のさまざまな生活と介護過程の展開 ……………… 168
1 介護福祉士の仕事の魅力 … 168
2 本章で取り上げた事例について … 169

第2節 事例で考える利用者の生活と介護過程の展開 ……………… 172
事例1 都会に住む1人暮らしの高齢者の生活支援 … 172
事例2 離島出身の高齢者の在宅復帰支援 … 179
事例3 在宅でターミナルを迎える高齢者と家族の生活支援 … 185
事例4 医療的な処置が必要な高齢者の生活支援 … 191
事例5 片麻痺のある高齢者の夢の実現に向けた支援 … 199
事例6 災害によって生活環境を大きく変化せざるをえなかった高齢者への支援 … 205

索引 …………………………………………………………………………… 217

執筆者一覧

最新 介護福祉士養成講座9　介護過程　第2版

本書では学習の便宜をはかることを目的として、以下のような項目を設けました。
- 学習のポイント … 各節で学ぶべきポイントを明示
- 関連項目 ………… 各節の冒頭で、『最新 介護福祉士養成講座』において内容が関連する他巻の章や節を明示
- 重要語句 ………… 学習上、とくに重要と思われる語句について色文字のゴシック体で明示
- 補足説明 ………… 専門用語や難解な用語・語句をゴシック体で明示するとともに、側注でその用語解説や補足的な説明を掲載
- 演　　習 ………… 節末や章末に、学習内容を整理するふり返りや、理解を深めるためのグループワークなどの演習課題を掲載

第 1 章

介護過程とは

第 1 節　**介護過程とは**

第 2 節　**介護過程における事例検討・事例研究の必要性**

第 1 節

介護過程とは

学習のポイント
- 介護過程の意義・目的を理解する
- 介護過程の全体像を理解する
- 介護過程とICF（国際生活機能分類）の考え方の関連性を理解する

関連項目
- ③『介護の基本Ⅰ』▶ 第1章第3節「介護福祉の基本理念」
- ③『介護の基本Ⅰ』▶ 第4章第1節「介護福祉における自立支援」
- ③『介護の基本Ⅰ』▶ 第4章第2節「ICFの考え方」
- ⑭『障害の理解』▶ 第1章第1節「障害の概念」

1 介護過程の意義・目的

1 介護過程の意義

（1）介護過程にもとづいた利用者の生活（暮らし）の支援

　介護過程とは、介護福祉職が利用者の生活上の課題を解決し、その人にとって「よりよい生活」「よりよい人生」を実現していくための道筋のことです。

　たとえば、食事介助1つをとっても、利用者の状態によって食べられない原因（箸を持てないのか、食欲がないのかなど）は異なります。そのため、すべての利用者に同じ介護を行うことはできません（図1－1）。食べられない原因にあわせて適切な介護を行うことが必要であり、そのためには、単に介護の知識と技術を身につけているだけでは不十分なのです。

　利用者にとって「よりよい生活」「よりよい人生」を実現するために、介護福祉職は利用者ができること・できないこと、望んでいることなどを把握し、その人の状態に応じて、専門的な知識・技術を活用した**客観**

図1-1 同じ支援でよい？

Aさん・男性・45歳
左片麻痺
「麻痺があっても リハビリをして がんばりたい」と 思っている。

Bさん・女性・70歳
右片麻痺
「麻痺が残るなんて、もうだめだわ」と思っている。

Cさん・女性・50歳
左片麻痺
「私も麻痺になって、母の介護をどうしよう」と思っている。

的で科学的な思考過程によって支援を進めていきます。介護過程にそって、「アセスメントの結果を受けて、どのような支援を行うのか」「その結果、どのような変化があったのか（もしくは、なかったのか）」などを明らかにし、根拠にもとづいた支援を行って、評価することは、利用者のQOL（Quality of Life：生活の質）の向上につながります。

介護福祉士をはじめとする介護福祉職には、利用者の生活を支援する際に、専門的で根拠のある介護の内容と方法が求められます。したがって、介護過程の基礎知識を学び、事例演習をくり返しながら「思考のトレーニング」を行う必要があります。介護過程の展開事例の蓄積は、介護福祉士の専門性の確立につながるものとしてとても重要です。

（2）介護過程の展開プロセス

介護過程は、一般的にアセスメント→介護計画の立案→介護の実施→評価の4段階で構成されています（図1-2）。このプロセスは、介護特有のものではありません。

たとえば、旅行をしたいときには、行ってみたいところの情報を集め、観光スポットなどを探してみるでしょう。また、行き先の気候や交通手段、予算などについても調べるのではないでしょうか。そのうえで日程や行程などを具体的に計画し、旅行に出かけることが多いでしょう。また、旅行から帰ったあとは、楽しかったとか、つまらなかったと

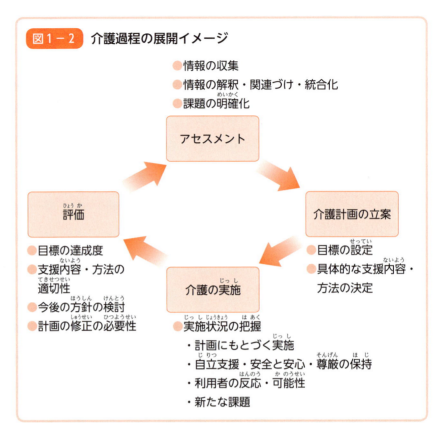

図1-2 介護過程の展開イメージ

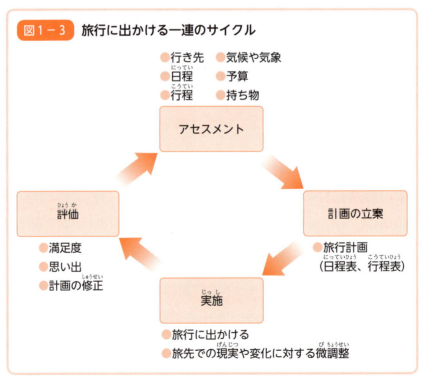

図1-3 旅行に出かける一連のサイクル

か、さまざまな観点から評価をするのではないでしょうか（図1－3）。

同じ旅行をする場合でも、旅行会社の企画であったらどうでしょうか。旅行会社は、利用客に満足してもらうために、事前準備のためのアセスメントを入念に行い、計画書を作成することはもちろん、旅行の添乗員は、利用客とのコミュニケーション、訪問先や宿泊先の環境整備、緊急時の対応など、あらゆる可能性に目配りと気配りをして、利用客の満足度を高めようと努力します。

一方、利用客は、そうした努力にはほとんど気づくことなく満足感をえる人もいれば、添乗員の気配りや動きを評価し、その態度に感謝し、満足度を高める人もいます。

介護過程の展開は、この旅行会社と利用客との関係に似ています。

つまり、旅行は、旅行会社が利用客と希望を共有し、実践していく過程であり、旅行会社は利用客みずからが行動を選択し、自分の期待する旅行を実現できるよう支援します。

このことを介護に置き換えて考えてみましょう。介護は、介護福祉職が介護サービス利用者と生活目標を共有し、実践していく過程であり、介護福祉職は、その人らしい生活を利用者みずから選択し、利用者本人が自分の期待する生活を実現できるように支援する仕事となります。

介護過程の展開とは、このことを実践していく道筋です。この道筋にそって日々の支援をくり返し行うことにより、利用者のQOLは高まります。

2 介護過程の目的

（1）介護の本質と介護過程

介護とは、老いにともなう心身のおとろえ、または障害があることによって生じる、生活上の困りごとを少しでも解決し、利用者本人が望むその人らしい生活の再構築を側面的に支援する仕事であるといえます。

そのため、介護福祉職の判断で一方的に支援するのではなく、利用者の意思を尊重し、より自立的で質の高い生活を目指して支援します。それが、尊厳の保持や自立支援、利用者本位といった、介護の本質にかなった方法につながります。

利用者に関心を寄せて、利用者がどのようにして生活しているのか、そして、今後どのように生活していきたいのか、その人について深く知

ることから始めないと、介護は単なる作業になってしまいます。利用者に対してこころから関心をもってかかわり、観察することを通じて、その人の生活がよりよくなるためには何をどのように支援したらよいのか、今どういった情報が必要なのかを考える力を身につけることが、介護福祉職には求められます。

　介護過程の目的は、まさにこの点にあります。

　介護は、一見するとだれにでもできる行為に映ります。しかし、介護福祉職による介護実践は単なる「お世話」や「お手伝い」ではありません。利用者の尊厳を守りつつ、自立を支援し、その人らしい生活が継続できるように支援する役割をになっているのです。そのときの土台となる考え方と方法が介護過程であるといえます。

（2）プロセス（手順）の重要性

　介護過程というからには、プロセス（手順）がとても重要になります。

　たとえば、ワイシャツを着たあとに肌着をつける人などいないでしょう。「そんなことはあたりまえじゃないか」と思うかもしれませんが、介護過程を展開するにあたっては、手順をふんで進めていくことに意味があることを理解しておきましょう。

　アセスメントをしないまま（もしくは、アセスメントが不十分だとわかったまま）介護計画を立案してはいけません。介護計画を立案するときも、利用者本人が生活を送るうえでの課題を明確にする前に、具体的な支援内容・方法をまとめることはプロセス（手順）が誤っています。

　介護過程を時系列でみていくと、「アセスメント→介護計画の立案→介護の実施→評価」という4つの段階を経て進んでいきます。また、図1-4の矢印の流れのように、介護過程は一方通行の直線的なものではなく、終結にいたるまでのあいだは何度でも循環していくことが特徴です。介護過程とは、プロセス（手順）のくり返しによって、利用者の望む「よりよい生活」「よりよい人生」の実現を支援する活動だといえます。

（3）介護過程を展開する基本視点

　介護過程を展開する際には、利用者の生活を支える介護福祉職として、いくつかの基本視点が求められます。

第1節 介護過程とは

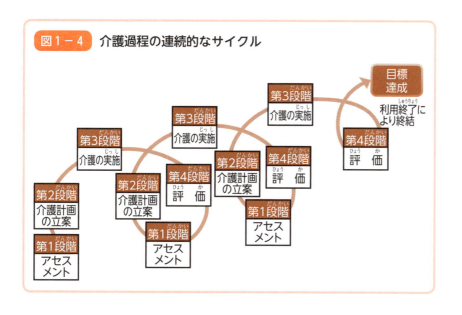

図1-4 介護過程の連続的なサイクル

1 尊厳を守るケアの実践

人はだれもが、1人の人間として、個人の尊厳を守りながら生活していく必要があります。人は自分らしく生きていくためにも、自分のことは自分で決めるということ（自己選択・自己決定）を、日常生活のあらゆる場面で継続的に行いながら生活しています。その結果、自分自身に誇りをもち、自立した生活を送ることができます（図1-5）。

介護過程の展開に際しては、すべての段階において、尊厳を守るケアの観点から、利用者の自己決定を実現する必要があります。インフォームドコンセントやインフォームドチョイスを徹底し、利用者自身が希望を主張できる信頼関係づくりが求められます。

2 個別ケアの実践

人は1人ひとりが独立した存在であり、その人らしさを固有のものとしてもっています（図1-6）。たとえば食事の好みや排泄の習慣、入浴の方法、服装の好み、趣味、住まい方などをみれば、1人ひとりに個別性があることがわかります。

介護過程の展開に際しては、個別性を形づくっているその人の生活歴や地域性、価値観、生活観、生活様式、生活リズムなどに着目します。利用者が生活のさまざまな場面において、多様性や複雑性をもつ人間であることを理解することが必要です。

3 生活と人生の継続性の尊重

人は生活様式や生活習慣が毎日なにげなくくり返されることで、自分

図1-5 介護過程と自己決定の視点

図1-6 その人らしさ

らしく安心した生活を送ることができます。利用者が、できるだけ住み慣れた家やなじみのある地域で暮らすことは、その人らしさを保ちながら暮らすために必要な視点です。

　介護過程の展開に際しては、利用者のこれからの生活が、できるだけこれまでの生活と**継続性**をもったものになるように、利用者といっしょに考えていくことが求められます。

4 生きがいや役割のある生活

　人は、友人や知人などの身近な人たちとの交流や、地域の行事への参加などを通じて、ほかの人に喜ばれたり認められたり、また、家族のなかで役割を実感することで**生きがい**を感じるものです。

　介護過程の展開に際しては、家庭内や地域とのつながりのなかで、利用者がどのような役割を果たすことを望んでいるかどうか、検討する必要があります。介護福祉職は、利用者の生活歴や潜在能力をふまえ、希望や願いを実現するための目標を、利用者とともに考えることが求められます。

2 介護過程の全体像

1 アセスメント

　介護過程の展開は**アセスメント**から始まります。

　アセスメントでは、まずはじめに、利用者の心身の状況、生活の状況、希望や願いなどについて必要な情報を収集します。そして、その1つひとつの情報がもつ意味を専門的な知識・技術を根拠として解釈します。次に複数の情報の関連づけと統合化を行います。統合化は利用者の望む生活（暮らし）の実現を困難にしている課題を明確にするプロセスです。

（1）情報の収集

1 収集すべき情報

　アセスメントの第1歩は、**情報の収集**にあります。

　ここでいう情報とは、利用者本人の身体の状況のみをさすのではありません。介護福祉職はどうしても利用者がかかえる疾病や障害、それにともなうADL（Activities of Daily Living：日常生活動作）など、介護が必要な、できない部分の情報に目が行きがちです。しかし、介護福祉職は利用者の生活全体を支援するのであって、食事・入浴・排泄といったADLのみを介助するわけではありません。

　したがって、介護福祉職は、利用者がかかえる心理状態のほか、利用

者を取り巻く環境的な側面など、幅広い視点から情報を収集する必要があります。その人の生き方や価値観、ADL、IADL（Instrumental Activities of Daily Living：手段的日常生活動作）などの項目について、単に「できる」「できない」をみるのではなく、利用者本人がどのように思い、感じているのかを含め、幅広い視点から情報を収集することが、利用者の全体像を全人的に把握することにつながります。

2 ICFにもとづく視点

情報の収集にあたっては、ICF（International Classification of Functioning, Disability and Health：国際生活機能分類）の視点にもとづいて行い、利用者の全体像を全人的に把握します。

ICFでは、人間が生活するうえで発揮しているすべての機能を「生活機能」と位置づけ、プラス面からみています。「生活機能」は、「心身機能・身体構造」「活動」「参加」の3つのレベルで構成されています。これに対して、生活機能に低下や困難が生じている状態を「障害」ととらえ、「機能障害」「活動制限」「参加制約」という3つのレベルで設定しています。また、生活機能に影響をおよぼす背景因子を「環境因子」と「個人因子」に分類しています。

このようなICFの構造は、利用者は誇りをもって主体的に生きようとする存在であり、その能力を備えた人としてその人を全体的に理解しようとする考え方の根拠となります。とくに、活動・参加は実行状況（している活動）と、能力（できる活動）の2つの評価点で把握することができます。

能力的にはできるにもかかわらず、日常生活でしていない場合には、その理由が何であるか考える必要があります。

介護過程では、このICFの視点にもとづいて情報を収集することで、利用者の全体像を客観的かつ全人的にとらえることが可能になります。

3 情報の収集の方法

情報の収集にあたってもっとも重要な情報源となるのは利用者本人です。利用者が今どういう状態にあるのか、今の状態を利用者はどのように感じ、今後どうしたいと考えているのかを把握する必要があります。

ただし、介護サービスを利用する高齢者や障害のある人のなかには、みずから意思表示をすることが困難であったり、苦手であったりする人もいます。また、情報を収集する段階では必ずしも介護福祉職と利用者との関係性が親密なものとは限りません。そのため、利用者の家族や実

際に支援を行っている、ほかの職種などからも情報を収集することが大切になります。さらには、介護記録や業務日誌をはじめとする記録類から情報を収集することも有効な手段といえます。

4 観察力を身につける

観察とは、自分の目の前にあるものに対し、それが表現していることをありのままに見て、まわりの状況や相手の思い、考えといった真意を素早く察知することといえます。

観察は利用者に出会った瞬間から始まります。

観察力を養うには、日常の生活のなかで五感を駆使し、自分の周囲で起きている事象について、「いつもと違う点」「どこかおかしい点」などに気づく力を身につける必要があります。

とくに介護の必要な高齢者の場合は、身体状況の変化が顕著にあらわれにくいという特徴があります。「いつもと違う点はないか」と、常に疑いの目で見ることにより、違いを発見することができます。また、気づいたことに対して、「なぜそのような状態なのか」という疑問をもち、原因は何かを追求することが大切です。目の前の状況は同じに見えても、その原因は1つひとつ違うかもしれません。利用者は1人ひとり個性があり、まったく同じ人はいません。その個性を見逃さないように、「なぜだろう」「どうしてだろう」と疑問をもち続け、因果関係を見つけることが、結果として観察力を高めることにつながります（図1－7）。

5 先入観や偏見について

情報収集の際に注意しなければならないのは、正しい判断をさまたげる要因となる**先入観をもたないようにすること**、あるいは先入観をもっていることを自覚して（**自己覚知**❶）情報を収集することです。はじめて出会う利用者について、事前に他者の話や記録などから情報をえている場合は、その情報から導かれた利用者像を認識してしまい、結果として誤ったアセスメントをしてしまう可能性もあります。また、**偏見をもたずに観察する**ことも大切です。

たとえば、「視力に障害のある人」というだけの情報をもとに食事介助をするときに「見えない＝何もできない＝全介助が必要」と思いこみ、「目が見えない人は、何もできない人」という先入観をもってしまうと、利用者の「できること」もうばうことになりかねません。

「目が見えない」という情報をえたとき、いつから見えなくなったの

❶自己覚知
援助者が、自分の個人的な性格や価値観のかたよりなど、客観的に自分を知ると同時に、自身の主観的ゆがみを知ること。

図1-7 観察

か、どの程度見えるのか、日常生活行為を行ううえで困っていることは何か、本人は見えないことについてどのように考えているか、支援してほしいことは何か等について、情報をえます。つまり、情報をえるということは、利用者の全体像を把握することなのです。

6 客観的観察と主観的観察

情報収集には、客観的観察と主観的観察があります。

客観的観察とは、介護福祉職が事実をありのままに観察することです。介護福祉職が利用者を観察したときに生じる自身の思いや感情は客観的観察とはいえません。

主観的観察とは、利用者が思っていることや考えていること、つまり利用者の主観を観察することです。主観的観察は、介護福祉職が利用者から会話等を通して引き出さなければえられない情報です。そのためには、利用者とのコミュニケーション能力や介護を必要とする人の心理、認知症の人の心理、高齢者の心理、障害者の心理等の知識が必要です。

主観的観察による情報をえて行う介護とえていない情報で行う介護にはズレが生じます。たとえば、①軽度の失禁、②リハビリパンツの着用という客観的情報も、③リハビリパンツについて「本当はこんなもの身につけたくないのよね」とさびしそうな表情で訴えているという主観的

情報があるだけで、とるべき対応は異なってきます。

つまり、客観的観察の情報だけで介護を展開すると介護福祉職の一方的な介護になりやすく、利用者の主観的観察をえたかどうかで、介護が変わってくることがわかります。

7 情報の取捨選択

「観察」は「何のためにどのような情報を収集するのか」を正しく認識していなければ、収集した情報はかたよったものになってしまいます。利用者の支援に直接関係のないようなことにこだわり、本来必要な事実を情報として把握できなければ、利用者に適した支援を提供することはできません。介護福祉職には、その目的を正しく理解し、専門職として意図的に観察する力が求められます。

（2）情報の解釈・関連づけ・統合化

1 「情報の解釈・関連づけ・統合化」という作業

利用者について集めた1つひとつの情報は、まだ個々バラバラなものでしかありません。そこで介護福祉職は、収集した情報をもとに、生活を送るうえでの具体的な希望や困りごとを明らかにしていく必要があります。

情報の解釈・関連づけ・統合化という作業は、利用者をより深く理解し、利用者の生活のしづらさが何に由来しているのかを明らかにする作業です。そのためには、具体的な思考過程として、情報を分析したりつなぎ合わせて仮説の検証をしていくことになります。

そのときに気をつけなければならないのは、介護福祉職の先入観や偏見にもとづいて情報を解釈してはならないということです。介護福祉職が収集した情報の解釈や関連づけの仕方によっては、まるで違う生活課題があらわれてしまう可能性があるので注意が必要です。

2 離れ小島に橋をかける作業

介護過程のアセスメント段階のうち、最初につまずいてしまうのが、収集した情報をどのように解釈し、関連づけて、統合化するかという作業だといわれています。

介護福祉職が収集した情報は、食事の場面や入浴、排泄というように、ある意味でバラバラであり、項目ごとに分類された状態でアセスメントシートに記入されています。つまり「情報の収集」段階では、離れ小島のように情報が散らばっている状態にあるのです。

これらの離れ小島に橋をかける作業、言い換えれば、情報同士を関連させながら結びつける作業が情報の解釈・関連づけ・統合化になります。
　離れ小島への橋のかけ方について、次の事例から考えてみましょう。

事例

　Dさん（83歳、女性）は、夫と1人息子を立てつづけに亡くしてから、体調をくずしがちになりました。4年前に脳梗塞を発症し、現在、歩行は可能ですが、軽度の言語障害があります。

　3か月前にサービス付き高齢者向け住宅に入居して以来、主食はお粥を希望しています。現在の体重は40kg。病気になる4年前は56kgだったため、体重が16kg減少しました。

　介護福祉職はDさんに健康的な生活を取り戻してもらうために、食事の見直しを検討しました。お粥からご飯への変更を提案すると、「歯が悪いので、お粥のほうがよい」とのことでした。そこで、歯科治療をすすめましたが、Dさんは「脳梗塞になって以来、ワルファリンを飲んでいるので、歯科治療はできない」と言います。

　利用者の意向を尊重することは重要ですが、より健康的な生活を送ってもらうためには、状況の改善が必要です。そこで、介護福祉職は次の情報に注目しました。

❶ お粥を希望している。
❷ 4年間で体重が16kg減少している。
❸ 歯が悪い。
❹ 脳梗塞の既往歴がある。
❺ ワルファリンを服用している。
❻ 歯科治療はできないと思っている。

　これらのうち、❶～❸の情報を結びつけると、Dさんの健康的な生活を阻害している要因は、歯が悪いために栄養価の高い食事が十分に

> 食べられないことだと考えられます。この状況を改善するための具体策としては、まずは歯科治療が必要です。
>
> 　しかし、❹〜❻の情報を結びつけると、Dさんは「ワルファリンを飲んでいるから、歯が悪くても歯科治療ができない」と思いこんでいることがわかります。そこで介護福祉職は、ケアカンファレンスの結果をふまえてDさんに歯科治療が可能であることを伝え、さらに体力をつけるために、お粥からやわらかいご飯に変更することを提案しました。

❸ 頭のなかで「？」を生み出す作業

　事例では6つの情報が集められ、それぞれ関係のありそうな情報同士を関連づけて統合化し、介護に役立つ情報へと形づくっていきました。しかし、情報が6つではなく4つであった場合には、情報同士を関連させながら結びつける作業がむずかしくなります。

　そこで、情報が限られている場合には、今ある情報をもとに「なぜなのだろう？」「どうなっているのだろう？」という思考をめぐらし、関連情報を収集し、情報の量と質を高めていくようにします。

（3）生活課題の明確化

　収集した複数の情報を矛盾なく関連づけ、統合化することができれば、生活課題が明らかになります。ここでいう生活課題とは、利用者が望む暮らしを実現または継続するために、解決しなければならない困りごとのことであり、生活上の課題と位置づけることもできます。

　介護サービスを必要とする高齢者や障害のある人の場合、その人がかかえる生活課題は1つとは限りません。1人で複数の生活課題を有していることがほとんどで、なおかつ、それぞれの生活課題が必ずしも同じ比重であるわけではないのです。そこで、介護福祉職は1つひとつの生活課題の優先度を考えます。1つの目安として表1－1に示すような視点が考えられますが、優先順位を決める場合には、利用者の心身の状況に応じて判断することが大切です。

> **表1-1 課題の優先順位の検討例**
>
> ・身体的、心理的、社会的な苦痛の大きさ
> ・生きる力を損なう(パワーレス)可能性の度合い
> ・緊急性の度合い

2 介護計画の立案

(1) 介護計画を立案する目的

アセスメントによって明確にされた生活上の課題を達成し、利用者の希望する生活を実現するために、介護福祉職は利用者1人ひとりに**介護計画**(個別援助計画)を立案します。

介護計画は、1人の利用者に複数の介護福祉職がかかわることを想定して、より個別的に、そして具体的に記述します。また、利用者本人や家族を中心に、利用者にかかわる人たち全員が共有できるようにしておくことが求められます。

(2) 介護計画の内容

介護計画に盛りこまれるおもな内容としては、①生活課題(利用者が望む暮らしを実現または継続するために、解決しなければならないこと)、②目標(利用者が望む状態、あるいは期待される結果)、③支援内容・方法(いつ、どこで、だれが、何を、どのように支援するか)があります。

なかでも**目標**は、介護支援専門員(ケアマネジャー)が立案するケアプラン(介護サービス計画(居宅サービス計画または施設サービス計画))の長期目標・短期目標と連動していることが必要になります。

また、介護計画の立案にあたっては、利用者が社会参加し、生きがいをもって暮らすという視点から、利用者のあるべき姿を目標に設定することが重要となります。この目標を達成するために、具体的な支援内容と支援方法、頻度、担当者などを決定します。さらには、目標の達成期間、支援の効果などの結果について予後を予測する必要があります。

（3）利用者・家族の参加

　どんなに立派にまとめられた介護計画であったとしても、あまりにも実現不可能な目標が設定されたり、現実的でない支援内容・方法が盛りこまれたりするようでは、だれのための、何のための計画かわかりません。また、利用者主体、自立支援といいながら、結局は介護福祉職側の一方的な計画であっては、何の意味もありません。

　実効性に欠ける介護計画にならないためにも、介護計画の立案にあたっては、**利用者・家族の参加**が大切になります。介護計画を立案する際のケアカンファレンスの場に出席してもらうなど、文字どおり利用者といっしょに作業を進めることが理想的です。

　しかし実際には、物理的にも時間的にも制約があって、そのような場を設けることはむずかしいかもしれません。そのような場合でも、立案した介護計画を見てもらいながら、なぜこのような計画になったのかを説明し、利用者や家族の同意をえるようにします。

（4）多職種連携

　利用者の生活を支援しているのは、決して介護福祉職だけではありません。介護福祉職はさまざまな生活上の課題を解決するために、医師、看護師のほか、栄養士やリハビリテーション専門職など、ほかの専門職と連携しながら利用者を支援しています（図1－8）。したがって、介護計画の立案にあたっても、それぞれの職種の専門性をふまえたうえで、介護福祉職としての計画を作成します。

　同時に、利用者にかかわるチームのメンバー全員が介護計画の意図をしっかりと理解していることも重要になりますから、メンバーにどのようにして計画の意図を伝えていくのか、具体的にはケアカンファレンスのもち方についてもあらかじめ検討しておくことが大切です。

3 介護の実施

　目標達成のために立案された介護計画にそって、実際に介護を実施します。介護の実施にあたっては、介護計画に盛りこまれた支援内容・方法について、確実に行うことが重要です。日常生活における移動・食事・排泄・着替えや外出の身じたく、睡眠、家事などの場面において、「安全と安心」「快適さ」「自立支援」の観点から介護を実施します。

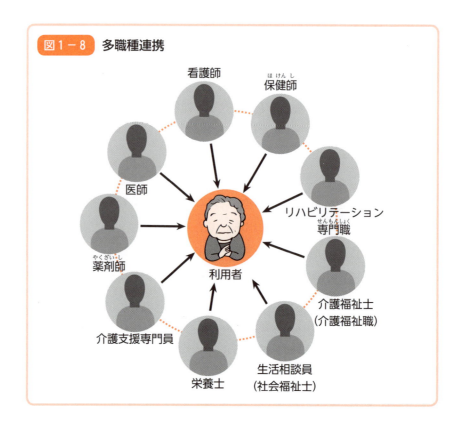

図1-8 多職種連携

（1）介護の実施における3つの観点

1 安全性への配慮

　介護福祉職は、実際の生活場面において利用者の身体に直接触れるため、安全には最大限に配慮する必要があります。身体機能はもちろんのこと、そのときの疲労度や気分によっても利用者の身体状態は変わる可能性がありますから、常に観察をしながら安全な介護を実施するようにします。

　ここでいう**安全性**とは、利用者にとっての安全性だけでなく、介護福祉職自身にとっての安全性という意味も含まれます。利用者と介護福祉職との安全性は裏表の関係にあることを意識することはとても大切です。

2 快適さへの配慮

　人はだれでも、自分の価値観を大切にして過ごしたいと思っています。したがって、他人に価値観を押しつけられることには大変苦痛を感じます。**快適さ**への配慮という場合、人によって価値観が違うことを理解し、関心をもって相手をよく観察し、コミュニケーションなどによってその価値観を理解していくことが必要です。

3 自立への配慮

利用者の自立に配慮した介護の実施も求められます。ここでいう自立とは、身体的自立のみを意味しているのではありません。自立という場合、自分の生活が自分の主体的な意思によって営まれているかどうかが重要なのであって、介護の実施にあたっても、介護福祉職側の都合によって一方的に行ってはならないのです。

利用者の残存機能や潜在能力を活用して利用者が主体的に動いているという実感がもてるように実施します。

（2）利用者の反応

利用者の安全性、快適さ、そして自立に配慮した支援を介護計画にもとづいて実施するにあたっては、利用者の反応を見落とさないようにします。利用者の身体状況、感じていること、考え、思いなどは、刻々と変化します。

ただし、支援の内容や方法に対する不安や違和感、要求などを、そのつど言葉で表現できる利用者ばかりではありません。したがって介護福祉職には、言葉のニュアンスや表情、身体の動き、しぐさなどを細かく観察し、利用者の思いをくみとりながら、常に、今実施している介護は利用者に適しているのかを判断していくことが求められます。

（3）多職種連携と情報の共有

利用者にかかわるチームのメンバーとの連携や協働は、介護の実施の段階でも非常に重要な意味をもちます。

たとえば、介護福祉職が、食事の介助を行ったとき、利用者がどのような料理をどこで、どのように食べたかという情報は、介護福祉職だけ知っていればよいわけではありません。栄養士とその情報を共有し、連携をはかることで、利用者が食事を楽しみにしながら、必要な栄養をとることが可能になります。

また、介護福祉職が実施した支援の結果は、ケアマネジメントにおけるモニタリングの際に重要な役割を果たします。ケアプランは、利用者の変化にあわせて見直しを行う必要がありますが、そのために必要な情報の多くは、利用者にもっとも近い介護福祉職が把握している場合が少なくありません。もっとも新しく、正しい情報を常にチームのメンバーが共有できるように、連携をはかることが大切です。

(4) 実施の記録

　計画にもとづいて介護を実施したときには、その内容を必ず記録に残します。どんなに立派な介護計画が立案されたとしても、計画が実施されなければ意味がありません。そこで、支援を適正に、計画どおりに実施したという経過を記録します。

　介護福祉職が実施した支援内容やそのときの利用者の反応や言動、観察した内容や判断の根拠など、実施状況を記録しておくこと、また、計画どおりに実施できなかったときも、その理由や利用者の反応などを記録しておくことで、計画の見直しや評価につながります。

4　評価

(1) 評価の意義と目的

　介護過程で重要となるプロセスの1つが評価です。

　介護計画の立てっぱなし、支援のやりっぱなしという状態のまま、何のふり返りもないというのでは、そもそも介護計画を立案し、評価する意味がありません。立案した計画が利用者の生活課題の改善にどれだけ役に立っているか、また、残された課題としてどのようなものがあるかを明確にすることが、評価を通じて問われる大切なポイントです。

 目標が達成できたかの評価

　介護計画の目標とは、利用者の生活課題が解決されてニーズが満たされている状態をあらわすものです。ある一定期間のなかで、介護を実施したあとには、必ずこの目標に立ち戻って達成の度合いをはからなければなりません。

　目標の評価は、計画で設定した評価期日に行うことが前提になりますが、それ以外にも、評価期日より前に目標が達成されたと判断されたり、利用者の生活状態に大きな変化が生じたりしたときには、すみやかに評価するようにします。

　評価する際のポイントとしては、目標にそって現状を観察し、客観的にみて目標に達しているかどうかを検討します。そのうえで、目標に達していない場合には、その原因を検討する必要があります。原因がどこにあったのかを明らかにして、次に今後の対策を考えていくことが必要です。また、目標に達している場合には、必要に応じて次の段階の目標を設定するようにします。

2 具体的な支援内容・方法が適切であったかの評価

　目標に達していない原因の1つとして考えられるのが、具体的な支援内容・方法が果たして適切であったかどうかという点です。介護計画のなかには、利用者に対して、いつ、どこで、だれが、何を、何のために、どのように行うのかという支援内容・方法が記載されています。これらの内容は、目標を実現させるための具体的な方策であるわけですから、目標と裏表をなす要因として吟味していかなければなりません。

　「どのような介護サービスを提供するのか」という支援内容に問題があったのか、「いつ（どのくらいの頻度で）、だれが行うのか」という支援方法に問題があったのかなど、**支援内容・方法の評価**のポイントはいくつかあります。

　さらに、介護現場では、1人の利用者に複数の介護福祉職がかかわることになりますが、介護福祉職1人ひとりに、どこまで支援内容・方法が理解され、実施されていたのかも大切なポイントの1つといえるでしょう。いくら理想的な支援内容・方法が計画に盛りこまれていたとしても、それが介護福祉職全員に理解され実施されていなければ、介護計画は絵に描いた餅にすぎません。ケアカンファレンスの場などを効果的に活用しながら、具体的な支援内容・方法を評価してみましょう。

（2）介護計画を修正する必要があるかの判断

　介護目標や具体的な支援内容・方法を評価した結果、このまま同じ形で介護を続けても利用者のかかえる課題が解決につながらないことが明らかになった場合には、**介護計画の修正**が求められます。つまり、評価のあとには、計画を修正するかどうかの判断が必要になるのです。

　計画の修正という場合、部分的なものと大幅なものと、大きく分けて2とおり考えられます。

　なかでも、評価の結果、情報の収集以降の作業が不十分だと判断された場合や、利用者の生活状態に大きな変化がみられた場合などには、介護過程のプロセスのうちの「情報の収集」や「情報の解釈・関連づけ・統合化」「課題の明確化」までさかのぼり、新たに情報を収集し直したり、課題を整理し直したりすることが必要になります。そのうえで、修正された計画にもとづいて支援が実施されることになるわけです。

　また、目標はそのままで具体的な支援内容・方法のみを変更する場合もあります。いずれにしても、必要に応じて介護過程は循環した形で展

開していくことになります。
　なお、介護福祉職が立案する介護計画は、介護支援専門員が作成するケアプランをふまえて、介護福祉職の視点からあらためてアセスメントを行い、利用者の望む生活に近づけるための計画です。介護計画とケアプランは相互に連動しているものです。したがって、介護計画に修正が生じた場合には、必ずサービス担当者会議やケアカンファレンスの場で報告をし、ほかの専門職の意見と了解を求めることが重要になります。

演習1－1　介護過程の展開の理解

　介護過程の展開について、以下の文章の空欄に入る適切な語句を考えてみよう（同じ番号には同じ言葉が入る）。

（1）アセスメント
- アセスメントは情報の収集と ① からなる。
- アセスメントで大事なのは、情報を集めるだけでなく、そこから利用者の生活上の ② を明らかにすることである。

（2）介護計画の立案
- アセスメントにもとづき、介護計画の立案を行う。介護計画では利用者の生活上の ② を解決するための ③ を設定し、それにともなう支援内容・方法の立案をする。

（3）介護の実施
- 介護計画が立案されたら、介護計画にもとづき、介護が実施される。介護計画に盛りこまれた支援内容・方法をただこなすだけでなく、利用者の反応を見落とさないための ④ をしながら介護を実施する。

（4） ⑤
- 一定の期間に実施された介護実践について、 ⑤ を行う。
- ここでは設定した利用者の ③ の達成具合を確認する。

アセスメントの疑似体験「クラスメイトへ旅行先の提案」

クラスメイトに無料の旅行券が当たった。しかし、クラスメイト自身は旅行先を自分では決められず、ほかのクラスメイトからの提案を聞きたいと思っている。介護過程のアセスメントの方法を参考に、クラスメイトが行きたい旅行先を提案してみよう。

【方法】
①何人かでグループになり、質問者と質問される人を決めよう（2～3人）。
②どのような旅行先にすればよいか質問をしよう（3～5分）。
③質問者は②で集めた情報をもとに、旅行先とその旅行先にした理由を考えよう。
④グループやクラス全体でその結果を発表しよう。

【質問の仕方（ルール）】
・趣味やしたいこと、休日の過ごし方など、いろいろな角度から質問しよう。
・質問者は直接行きたい旅行先を聞いてはいけないし、質問をされる人も明確な場所は言ってはいけない。

【注意点】
・提案は②の質問以外でえた情報（ふだんの言動など）から考えても構わない。
・本演習はアセスメントを疑似的に体験することが目的なので、行きたい旅行先を必ず「当てる」必要はない。大事なのは、どうしてその旅行先がよいと思ったのか、提案者が明確に言えることである。

氏名　　　　　　　　　　　　　　　　（提案者：　　　　　　　　）

提案する旅行先	
どうしてその旅行先を提案したか（理由）	

第2節 介護過程における事例検討・事例研究の必要性

> **学習のポイント**
> ■ 介護過程における事例検討の意義と展開方法を理解する
> ■ 介護過程における事例研究の意義と展開方法を理解する
> ■ 事例検討・事例研究における倫理的配慮の必要性を理解する

関連項目 ⑩『介護総合演習・介護実習』▶ 第7章第1節「介護総合演習における知識と技術の統合化」

　事例研究（ケーススタディ）は、実際に起きた事実（事例）について、その事実が起きた状況や原因、対策を明らかにしようとする研究方法です。

　事例研究の方法や形態の1つに、**事例検討（ケースカンファレンス）**があります。事例研究や事例検討は、介護など社会福祉の領域や、医療、看護、経済学など、さまざまな領域で用いられています。

　対人援助の場面で行われる事例研究や事例検討は、実践の場で起こった「事実」を分析することで、対象者への理解を深め、そこからえられた知見をもとに、今後のよりよい実践を導き出す過程をいいます。

1 事例検討（ケースカンファレンス）

　事例検討（ケースカンファレンス）は、ケアカンファレンスやケース会議等とも呼ばれています。事例検討は、介護福祉職や看護職など、それぞれの職種だけで行うこともあれば、多職種が集まって行うこともあります。

　介護保険制度に位置づけられている**地域ケア会議**❶は、多職種の専門職の協働のもとで、個別ケースの検討が行われます。

　ここでは、介護実践における事例検討の意義についてみていきます。

❶ 地域ケア会議
多職種の専門職の協働のもとで、①介護支援専門員がかかえる個別のケースに対して検討するとともに、②地域に共通した課題を明らかにしていく会議。

1 事例検討の意義

　事例検討の対象となるのは、介護福祉職自身が困難を感じている事例や課題がある事例、支援がうまくいかない事例などさまざまです。

　事例検討を行う目的は、利用者への理解を深め、よりよい介護実践のためにどうすればよいのかを明らかにすることです。

> **事例検討の目的**
> ① よりよい介護実践のための気づきをえること
> ② よりよい介護実践のために利用者への理解を深めること
> ③ よりよい介護実践のためにどうすればよいのかを明らかにすること

　事例検討を行うことの意義として、事例をまとめる過程はみずからの実践を客観的にふり返り評価する機会になります。また、チームとして情報を共有することで、チームケアの質の向上につながります。自分だけで問題や課題をかかえこむことを回避し、新たな気づきや知見をえることで専門職としての成長につなげます。

　他の職種と共同で行う事例検討では、それぞれの専門性からの視点や価値観で議論を行うことによる気づきをえることや、利用者の生活を断片的にではなく包括的に継続的にとらえることができます。

2 事例検討の実施と展開

　事例検討の成否は、司会と事例提供者の準備に左右されます。事例提供者は、なぜこの事例を取り上げたいのか、何を検討したいのか（論点）を明確にし、事例を提供します。チーム内で事例検討を行う場合は、ほかの参加者も事例対象者のことを知っているかもしれませんが、事例検討を行うのは、チーム内だけとは限りません。

　たとえば、介護実習で実践した介護過程のふり返りとして、実習が終わってから学内で事例検討を行うこともあります。その場合は、事例対象者がどのような人なのか、事例の経過などをまとめ、参加者が事例に対して共通認識をもてるようにする必要があります。

　また、事例検討の方法として、1つの事例の支援の始まりから終わりまでを検討する方法もあれば、介護福祉職が課題だと思っていることや

介護計画として取り組んだことなどに焦点をしぼる方法もあります。

いずれの場合も、参加者は、参加者自身の経験や、多職種の場合はそれぞれの専門的視点から発言をしますが、事例提供者の実践を責めるような場にならないようにします。

> **事例検討会の手順**
>
> 事例検討会の開催にあたっては、日時や場所、テーマなどを予告し、事例検討会のメンバーの参加に向けた調整や準備に配慮することが大切です。それをふまえたうえで、事例検討会の手順は、次のとおりです。
>
> ① 開会
> 司会者は、開始のあいさつを行い、事例検討会の流れ、事例提供者や参加者の紹介、事例検討会のルール、終了の時間などについて説明します。
>
> ② 事例の提示
> 事例提供者は、事例の概要と、その事例を選定した理由、検討してほしい点などについて説明します。その際、ほかの参加者が理解できるように資料を作成するなど、わかりやすい発表のための工夫が必要になります。
>
> ③ 事例の共有化
> ほかの参加者は、事例提供者に質問をして、事例の理解と事例に対する事例提供者の思いについて情報を整理し、事例のイメージを共有化します。
>
> ④ 論点の明確化
> 事例のイメージが共有できたら、検討すべき論点を整理し、いくつかに焦点化していきます。
>
> ⑤ 論点の検討
> 限られた時間のなかで、検討すべき論点についてディスカッションを行います。必要なときには、優先順位をつけ、この段階で何を検討するのか、論点を検討しながら進めます。
>
> ここで重要なことは、自由に発言できる雰囲気づくりです。さまざまな意見交換によって、事例に対する今後の対応のあり方について、具体的に検討を行います。

⑥ まとめ
　事例検討の内容を整理し、最終的なまとめをします。司会者は、事例のプライバシーへの配慮を再度確認し、事例提供者や参加者をねぎらい、定刻どおりに終了します。

2 事例研究（ケーススタディ）

　事例研究（ケーススタディ）は、実際に起きた事実（事例）について、その事実が起きた状況や原因、それらへの対応などを分析し明らかにしようとする研究方法をいいます。
　実践の場では、事例検討と事例研究は、厳密に使い分けられていないこともあります。事例検討は、事例研究の方法の1つでもあるからです。

1 事例研究の意義

　事例検討は、介護福祉職自身が困難を感じている事例や課題がある事例、支援がうまくいかない事例などを検討し、よりよい介護実践を見いだしていくことに焦点がおかれています。
　一方、事例研究は、事例検討でえられた結果などから、ほかの事例にも応用がきくような、よりよい支援の方法を考えたり、原理原則を導き出したりと、研究に焦点があり、より学問的な側面をもっています。

図1-9　事例研究のイメージ

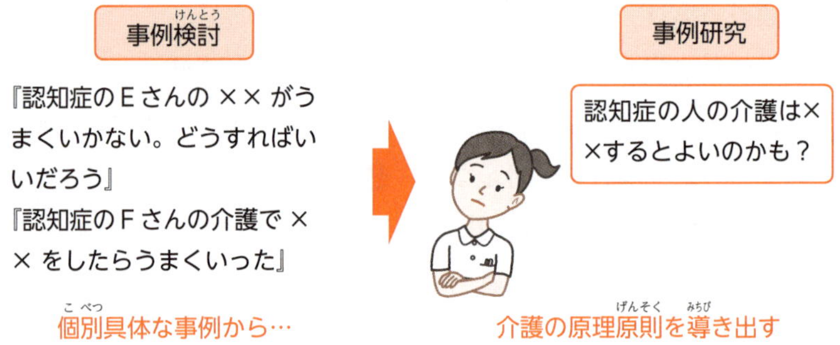

事例検討	事例研究
『認知症のEさんの××がうまくいかない。どうすればいいだろう』 『認知症のFさんの介護で××をしたらうまくいった』	認知症の人の介護は××するとよいのかも？
個別具体な事例から…	介護の原理原則を導き出す

そのため、事例研究の目的は、事例検討の目的に加えて、実践の根拠を明確にし、介護の原理原則を導き出すことや新しい試みを提案することなどがあります（図1-9）。

2 事例研究の実施と展開

（1）研究のテーマを設定する

事例研究では、はじめに、何を明らかにするのかという研究のテーマや目的を設定します。たとえば、「認知症高齢者とのコミュニケーション」や「視覚障害のある利用者への食事介護」など、介護福祉職自身が課題だと思っているものや解決したいと思っていることなどを取り上げます。

（2）文献を活用する

これまでに、同じようなテーマですでに明らかにされていることはないか、文献（論文や書籍など）を確認します。これまでに明らかにされていることは、その課題解決の参考になります。これまでに示されている分析しようと思っている事例との違いはないか、新たな気づきがないか確認します。

また、事例をまとめたり、分析したりするときや結論をまとめるときにも、文献を活用することで根拠をもって示すことができます。

3 倫理的な配慮

事例検討・事例研究では、どちらも個別の事例を扱うことから、検討・研究の参加者は利用者自身の心身の状態や家族に関することなど、詳細な情報を共有することになります。

そのため、事例検討や事例研究で用いる情報の取り扱いには、**倫理的な配慮**に加えて個人情報の保護という法的な観点からも留意が必要です。

1 個人情報の保護

事例検討などでは、基本的には、どのような目的でどのような情報を用いるのか、事例対象者本人や家族の同意を文書でえることが望ましいです。過去のケースである場合や実際には同意をえることがむずかしい場合の取り扱いなどについては、事前にルールを決めておきます。

また、事例検討を外部の機関と行う場合や介護実習での介護過程の事例などを報告する場合は、所属機関（実習施設）の許可をえるようにします。

事例検討で用いる資料への記載方法について、個人が特定されないように記号化することや、参加するメンバーへの個人情報の取り扱いなどについて、あらかじめルールを決めておきます。個人情報の保護に関する法律（個人情報保護法）についても確認しておきましょう。

事例検討は、よりよい介護実践をめざして行うものであることからも、検討する課題にだけ焦点をあてるのではなく、事例対象者の尊厳を保持することは、前提とされる事柄です。

2 著作権への配慮と倫理的配慮

たとえば、「視覚障害のあるGさんへのレクリエーション支援」について事例検討を行うときに、「視覚障害のある方へのケアを見直してみよう」と書籍で調べることや、「ほかの施設ではどうされているのだろう」と先行研究を探すこともあると思います。見つからなければ、「ほかの施設にヒアリングしてみよう」と調査研究につながっていくこともあるでしょう。

文献を紹介するときには、参考・引用した文献の名称や著者、出版社を明示することが必要となります。新たに研究をしようというときには、研究の計画を立てて、研究に協力をお願いしたい人への研究の説明や同意をえることなど、研究における倫理的配慮が必要になります。

本節のはじめに、対人援助の場面で行われる事例研究や事例検討について「実践の場で起こった『事実』を分析することで、対象者への理解を深め、そこからえられた知見をもとに、今後のよりよい実践を導き出す過程」と説明しました。

事例研究や事例検討は、その過程そのものに、介護福祉職がみずからの実践をふり返ることやチームのメンバーとかかえている課題を共有し解決に導くこと、他の専門職種からみた視点で多角的に利用者を理解できること、スーパービジョンを受ける機会となることなど、専門職として成長する多くの機会がえられます。

　事例研究では、個別の事例から、ほかの利用者にも共通する介護の原理原則を導き出すこともできます。また、疾病に対する治療方法が変わったり、福祉用具が開発されると、介護の方法も変わっていきます。そのため、実践の場において事例研究を行い介護の専門性を高めていくことが、今後ますます重要になるでしょう。

4 介護福祉分野で使用する「計画」

　介護福祉分野で使用する「計画」には、**介護計画**、**個別援助計画**、**個別サービス計画**、**ケアプラン**など、複数の呼び名があり、その違いがわかりにくい状態にあるのが現状です。

　そこで、介護計画の立案について学習する前に、それらの言葉の整理をしましょう。

1 ケアプランとは

　ケアプランは、利用者を支援する際の全体的な支援の方向性と、訪問介護や配食サービスなど、必要となる社会資源をどのように提供すればよいかを記載したサービスの計画書のことです。

　ケアプランという呼び方は法律で決められた正式名称ではなく、介護保険法上では**介護サービス計画**と呼びます。そのうえで、介護保険施設におけるケアプランをいう場合は**施設サービス計画**、居宅においては**居宅サービス計画**と呼ばれています。

　また、障害者の日常生活及び社会生活を総合的に支援するための法律（以下、障害者総合支援法）におけるケアプランは**サービス等利用計画**と呼ばれています。

　ケアプランは利用者本人や家族なども作成できますが、実際には多くの場合でケアマネジャーという専門職がケアマネジメントという手法を

使って作成しています。

ケアマネジャーの役割は介護保険法では**介護支援専門員**、障害者総合支援法では**相談支援専門員**がになっています。

2 個別援助計画とは

ケアプランに位置づけられた各サービスをどのように実施していくのかを具体的に定めた計画を総称して、ここでは、個別援助計画といいます。個別援助計画は、各サービスや職種ごとに作成されており、サービスや職種によって、計画の名称が異なります。

たとえば、看護師は個別援助計画として**看護計画**を立てますし、理学療法士や作業療法士等は、**リハビリテーション計画**を作成します。ケアプランに訪問介護が位置づけられた場合は介護福祉士等が個別援助計画として**訪問介護計画**を作成します。

介護保険法上、個別援助計画は**個別サービス計画**という言葉が使われています。

3 本書で扱う介護計画とは

本書で扱う介護計画とは、介護福祉職が作成する個別援助計画のことをいいます。

この個別援助計画が訪問介護の場で作成される場合、呼称は**訪問介護計画**となりますし、通所介護の場合は**通所介護計画**となります。

本書ではサービスの種別等を問わず、介護福祉職が作成する計画を介護計画という呼び方で統一しています。

◆ 参考文献

- 岩間伸之『MINERVA 福祉ライブラリー32 援助を深める事例研究の方法——対人援助のためのケースカンファレンス 第2版』ミネルヴァ書房、2005年

第2章 介護過程の理解

- 第 1 節　介護過程の展開
- 第 2 節　アセスメント（情報収集）
- 第 3 節　アセスメント（解釈・関連づけ・統合化）
- 第 4 節　介護計画の立案
- 第 5 節　介護の実施
- 第 6 節　評価

第1節 介護過程の展開

学習のポイント
- 介護過程の全体像を理解する
- 介護過程の各プロセスで求められる思考の方法を理解する
- 介護過程の展開において諸科目の知識を統合する必要性を理解する

関連項目 ⑩『介護総合演習・介護実習』▶第6章「実習Ⅱの展開」

　本節では、第2節以降の介護過程のプロセス別の学びに向けて、その展開の概要を確認しましょう。

　そもそも、介護過程とは利用者の望む生活の実現に向けて、生活課題を解決する思考過程と実践の過程であることを学んできました。では、なぜそのように言い換えることができるのか、問題意識をもちながら進めましょう。

　これまでも学習してきたように、介護過程の展開を、**図2-1**のとおり4つのプロセスで示しています。

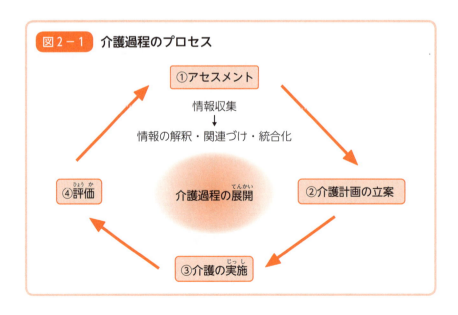

それぞれのプロセスが、何をどうすることを意味しているのかについて、簡単に説明します。

1 アセスメント

アセスメントとは、**情報収集**と**情報の解釈・関連づけ・統合化**の2つのプロセスを含んでいます。

情報収集では、利用者のこれまでの生活歴や現在の生活状況、心身の状態などを把握します。介護福祉職の気になる点だけではなく、また、利用者のプラス面・マイナス面を問わず、介護に必要な情報を意図的に収集することが求められます。

情報の解釈・関連づけ・統合化では、収集した情報をアセスメントの視点に照らして情報の意味を解き明かし、利用者の望む生活の実現に向けた生活上の課題を明確にします。そうすることで、利用者の介護の方向性を決めることになります。

2 介護計画の立案

介護計画の立案とは、明確にした生活上の課題を解決するために介護目標を設定し、その介護目標を達成するための具体的支援内容と支援の方法を組み立てることです。

3 介護の実施

介護の実施とは、立案した**介護計画にもとづく介護の実践**をさしています。

単に介護をするだけでなく、計画の目標が達成できそうか、計画外のことが必要でないかなどを観察し、その結果を記録することも含まれます。

4 評価

　評価とは、介護実践を一定の期間行ったあと、**介護目標の達成度**を判定することです。

　判定するためには、介護の実施をする前と、実施をしたあとの利用者の生活課題の状況を比較して、課題の改善がみられているかどうかを検討します。

　以上が、介護過程の展開です。この過程をくり返して行うことで、利用者の生活課題を解決します。そのため、これは**課題解決の思考過程**と呼びます。また、この思考過程は、介護福祉職の専門的技術の中核にあたるといっても過言ではありません。

　それぞれのプロセスで、どのような思考の方法が求められているのか、具体的な思考の方法を理解すると同時に、それを記録様式にそって表現できる**介護過程の展開技術**として修得しましょう。

　とくに、**アセスメント（情報の解釈・関連づけ・統合化）** をするためには、これまでにさまざまな科目で学習してきた多くの知識を活用できることが重要です。科目別に**学習した内容を関連づけ、統合する力**を養いましょう（**図2−2**）。

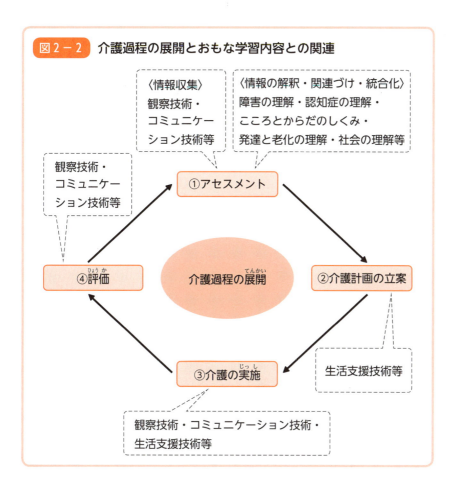

図2-2 介護過程の展開とおもな学習内容との関連

第2節 アセスメント（情報収集）

学習のポイント
- 情報収集の必要性について理解する
- 情報とは何かを理解する
- ICFの考え方を活用した情報収集の方法を理解する

関連項目
- ③『介護の基本Ⅰ』▶第4章第2節「ICFの考え方」
- ⑤『コミュニケーション技術』▶第1章「介護におけるコミュニケーションの基本」
- ⑤『コミュニケーション技術』▶第2章「コミュニケーションの基本技術」
- ⑤『コミュニケーション技術』▶第3章「対象者の特性に応じたコミュニケーション」
- ⑤『コミュニケーション技術』▶第4章「家族とのコミュニケーション」

1 情報収集の意義

情報収集とは、**意図的な観察**により利用者の**生活の全体像**をとらえることをさしています。何のために、どのような情報が必要なのかを考え、観察技術やコミュニケーション技術を駆使しながら情報を集めます。

情報収集は、利用者のできないこと（マイナス面）だけにとどまらず、利用者自身の「何かに取り組もう」とする気持ちや潜在能力の有無、その人を取り巻く人や物的環境の強み（プラス面）など、利用者および環境を含めた生活全般をとらえます。

介護福祉士は、日常生活を営むのに支障がある人を対象に、心身の状況に応じた介護ならびに介護に関する指導を行うことを業とする、と規定されています。つまり、個別ケアの提供を求めているということです。かかえている障害や病気が違うのに同じケアを提供することでよいのでしょうか。また、同じ障害や病気をもっていたとしても、その人の生い立ちや価値観、どのような生活を送りたいかという希望が違えば、

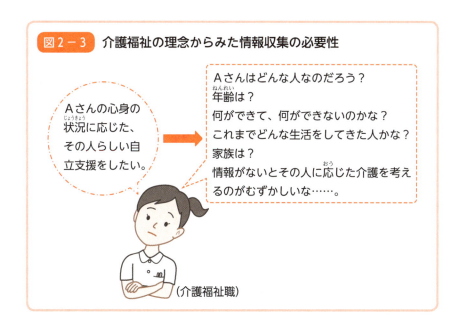

図2-3 介護福祉の理念からみた情報収集の必要性

ケアの方法も異なってくるのではないでしょうか。そのため、利用者とかかわろうとするとき、介護福祉職がまず気になるのは「どんな状態の人だろう」や「何に気をつけたらよいのだろう」ということになります。

提供者主体、もしくは利用者の生活課題に対応していない介護実践におちいらないためには、利用者の状況を客観的に観察し把握するという情報収集が重要です（図2-3）。

介護過程の一連のプロセスからわかるように、介護過程のスタート地点は情報収集です。ここでえられた情報が、次の情報の解釈・関連づけ・統合化へと思考を進めるための題材となり、生活課題を明確にするための根拠となるものです。また、明確になった生活課題を基本に介護計画の立案へと進めるため、情報収集の適否がその後の介護過程のプロセスに大きく影響します。このように情報収集は介護過程の始まりとしての大きな意義をもち、重要な位置を占めています。

2 アセスメントと情報収集

介護福祉職のなかには、情報収集のみをもって**アセスメント**と理解している人がいます。しかし情報を収集することだけではアセスメントに

なりません。

　利用者に関するたくさんの情報をえることは確かに重要です。しかし、情報がそこにあるだけでは、その人がどのような困りごと（生活課題）をかかえていて、どのような支援が必要なのかはわかりません。

　えた情報を解釈・関連づけ・統合化することではじめて、利用者の生活課題を明確にすることが可能になります。

3 情報収集の方法（ICFモデルの活用）

　情報収集には直接的な情報収集と間接的な情報収集があり、双方の手法を駆使した収集が必要です。また、観察技術とコミュニケーション技術を活用して情報収集を行います。

1 直接的な情報収集

（1）直接的な情報収集とは

　直接的な情報収集とは、利用者と直接的にかかわり合いをもちながら自己の五感を使った観察により情報を収集する方法です。

　直接的な情報収集をより効果的に行うためには、観察点について、どのような目的で、何を観察するのかを明確に意識していることが重要です。

　利用者の特徴的な性格や状態の変化などが、事実として目の前に見えていたとしても、もしくは、利用者が何らかの言葉を発していたとしても、介護福祉職に観察の目的や観察内容が意識されていないと、それを意味のある情報としてキャッチして、利用者のために活用することはできません。

　そのためには、専門的知識にバックアップされた意図的な観察能力が必要になります。

（2）直接的な情報収集の留意点

　直接的な観察にあたっては、利用者や家族との人間関係が大きく影響します。利用者と介護福祉職とのあいだで信頼関係が構築されていると、利用者にこころを開いてもらいやすいためです。

たとえば「衣服の乱れ」など、外見的に視覚を使ってえられる情報や、利用者の表情やしぐさなどは、意識さえできていれば収集することができる情報だといえます。しかし、利用者の内にある思い、考え、願いなどは信頼関係が構築されていなければ、利用者は安心感よりも警戒心が強くなり、それを言葉として聞くことはむずかしくなるでしょう。

情報収集の目的で利用者と向き合うためには、介護実践の基礎となる信頼関係の構築が前提です。そのうえで、どんな内容について、どのような方法で情報を収集することが、利用者への負担をかけず効果的に行えるのかを考える必要があります。

2 間接的な情報収集

（1）間接的な情報収集とは

間接的な情報収集とは、各種の記録やチームメンバー、他職種などからの情報提供によって情報を収集することです。

チームのメンバーがお互いに、チームの一員としての責任や役割を自覚し、情報の共有を意識した個別記録やケアカンファレンス記録などを充実できるよう取り組むことが望まれます。

それらが活用されるのと同時に、チームメンバーや他職種からの報告、連絡、相談を介した情報収集をする必要があります。

（2）間接的な情報収集の留意点

間接的な情報収集による情報は、記録物や他者を介した内容であるため、その内容について自分自身で実際に観察をして確認をすることが大切になります。記録された期日はいつか、情報内容の不足はないか、客観的な把握がなされているか等、再確認をします。

また、間接的な情報収集は、チームと他職種間のコミュニケーション状態がよいかどうかに影響を受けます。目の前の利用者とのコミュニケーション技術にとどまらず、チームの一員としてのメンバーシップを果たすための、チームコミュニケーション能力も高めることが求められます。

生活支援技術やコミュニケーション技術の科目において、具体的な学習を深めましょう。

(3) ICFモデルを活用した情報収集

情報収集を行う際には、ICF（International Classification of Functioning, Disability and Health：国際生活機能分類）モデルを活用します。

ICFモデルでは、利用者の生活の全体像をとらえることができます。これを活用し、介護福祉職の気になる点、意識する部分だけに着目するのではなく、利用者のプラス面、マイナス面を含めて生活の全体像をとらえ、潜在的生活機能を見いだしましょう。

ICFモデルでは、利用者の生活の全体像をとらえるための6つの構成要素として、「健康状態（変調または病気）」「心身機能・身体構造」「活動」「参加」「環境因子」「個人因子」を提示しています（**図2-4**）。

以上のICFモデルに示された観察内容を、「Bさん」という人の事例の形でICFモデルの記録にすると、次のようになります（**図2-5**）。

Bさん、71歳、男性

図2-4 ICFモデル

```
            健康状態
         （変調または病気）
              ↕
  心身機能・  ↔  活動  ↔  参加
  身体構造
              ↕       ↕
         環境因子   個人因子
```

図2-5　ICFモデルを活用した情報収集の例示

【①健康状態（変調または病気）】
- 2017（平成29）年11月に脳梗塞を発症し、入院治療にて回復している。
- 高血圧症のため降圧剤を朝食後に服用している。

【②心身機能・身体構造】
- 脳梗塞による右片麻痺の後遺症がある。
- 「生活に慣れましたか」と問うと、首を横に振り、表情が暗くなる。「思うようにからだが動かない」と言いながら、右手をさすっている。
- イベントへの参加や他者との交流をうながしても「はい」と返事をするが、自室から出てくる様子はみられない。

【③活動】
- 移動：右片麻痺の程度が重く、車いすを使用。ゆっくりであれば健側にて車いすの自走は可能だが、右側に寄ることが多く、直進操作がスムーズにいかない。
- 排泄：昼間はトイレまで車いす自走にて移動可能。便座移乗は介助。夜は自室にてポータブルトイレを使用。
- 衣服の着脱：上衣は協力動作がみられるため一部介助（左腕を通す・脱ぐ、ボタンのかけはずし）。下衣は2人介助で着脱する。
- 整容：自室の洗面所にて歯みがき、洗面は左手で可能だが一部介助を要する。
- 入浴：全介助で、健側でできる部分は協力する様子がみられる。
- 食事：左手を使いゆっくりだがスプーンを使用して食べることが可能。

【④参加】
- 週に2回、健側機能を維持するためリハビリテーションに参加している。
- 家族においては、父親であり、祖父の立場である。
- 息子夫婦と孫の面会が2週間に1回程度ある。

【⑤環境因子】
- 2018（平成30）年5月より地域密着型特別養護老人ホームに入居。住まいはユニット型の個室であり、孫の写真を飾っている。
- 家族は43歳の息子とその妻、孫（小学校2年生・保育園児）の5人暮らし。比較的近い距離で2週間に1回程度面会がある。
- 介護保険制度を利用している。

【⑥個人因子】
- Bさん、71歳、男性、元会社員。
- 妻は2013（平成25）年に他界。
- 2018（平成30）年3月で退職予定のため、退職後は自分の好きなことを楽しんだり、孫との時間をもったりして過ごしたいと家族に話をしていた。
- 退職を数か月後にひかえた2017（平成29）年11月に脳梗塞を発症し入院治療にて回復したが、右片麻痺の後遺症がみられる。
- 仕事は12月末に退職した。
- 息子夫婦と同居していたが、夫婦ともにフルタイムで仕事をしているため、2018（平成30）年5月より地域密着型特別養護老人ホームへ入居となった。
- 会社員のころは、会社仲間と釣りに行くことを趣味にしていた。
- 昨年の健康診断で血圧が高めとの指摘があり指導を受けたが、気にはとめていなかった。

（4）ICFモデルを活用した情報収集から生活像を組み立てる

　ここでは、ICFモデルを活用した情報収集から、次節の情報の解釈・関連づけ・統合化につなげるために、利用者の生活像を組み立てます。こうすることで、利用者の全体像を立体的にとらえられるようになります。

　生活像に組み立てる観点は、本書では、①人生のどの時期にあって、②どのような心身の状態で、③どのように生活している人なのか、の3点を設けています。

　この3つの観点とICFモデルの構成要素の関係は、以下のようになります。

①人生のどの時期にあって

　ここには、ICFモデルの構成要素の「個人因子」に含まれる情報を相応させます。

②どのような心身の状態で

　ここには、ICFモデルの構成要素の「健康状態」「心身機能・身体構造」に含まれる情報を相応させます。

③どのように生活している人なのか

　ここには、ICFモデルの構成要素の「活動」「参加」「環境因子」に含まれる情報を相応させます。

　ICFモデルの構成要素別に収集した情報は、関係する情報同士を1つの番号でくくり、3つの観点別に組み立てます。その際、観点①〜③までの情報に通し番号をつけ、整理します。

　先に例示した「ICFモデルを活用した情報収集の例示」（図2−5）を、「利用者の生活像を組み立てる」として、例示しているのが**表2−1**です。

　なお、この組み立て方は、利用者の生活像をわかりやすくするための一例です。本書ではこの方法を推奨しますが、利用者の全体像を理解できれば、やりやすい方法でも構いません。

表2-1 利用者の生活像を組み立てる

情報（利用者の生活像）　　＊（　）はICFモデルの構成要素

1　人生のどの時期にあって（個人因子）
① Bさん、71歳、男性、元会社員。
② 退職を数か月後にひかえた2017（平成29）年11月に脳梗塞を発症し入院治療にて回復したが、右片麻痺の後遺症がみられる。
③ 昨年の健康診断で血圧が高めとの指摘があり指導を受けたが、気にはとめていなかった。
④ 2018（平成30）年3月で退職予定のため、退職後は自分の好きなことを楽しんだり、孫との時間をもったりして過ごしたいと家族に話をしていた。
⑤ 仕事は12月末に退職した。
⑥ 妻は2013（平成25）年に他界。息子夫婦と同居していたが、夫婦ともにフルタイムで仕事をしているため、2018（平成30）年5月より地域密着型特別養護老人ホームへ入居となった。
⑦ 会社員のころは、会社仲間と釣りに行くことを趣味にしていた。

2　どのような心身の状態で（健康状態、心身機能・身体構造）
⑧ 脳梗塞による右片麻痺の後遺症がある。
⑨ 高血圧症のため降圧剤を朝食後に服用している。
⑩「生活に慣れましたか」と問うと、首を横に振り、表情が暗くなる。「思うようにからだが動かない」と言いながら、右手をさすっている。
⑪ イベントへの参加や他者との交流をうながしても「はい」と返事をするが、自室から出てくる様子はみられない。

3　どのように生活している人なのか（活動、参加、環境因子）
⑫ 移動：右片麻痺の程度が重く、車いすを使用。ゆっくりであれば健側にて車いすの自走は可能だが、右側に寄ることが多く、直進操作がスムーズにいかない。
⑬ 排泄：昼間はトイレまで車いす自走にて移動可能。便座移乗は介助。夜は自室にてポータブルトイレを使用。
⑭ 衣服の着脱：上衣は協力動作がみられるため一部介助（左腕を通す・脱ぐ、ボタンのかけはずし）。下衣は2人介助で着脱する。
⑮ 整容：自室の洗面所にて歯みがき、洗面は左手で可能だが一部介助を要する。
⑯ 入浴：全介助で、健側でできる部分は協力する様子がみられる。
⑰ 食事：左手を使いゆっくりだがスプーンを使用して食べることが可能。
⑱ 週に2回、健側機能を維持するためリハビリテーションに参加している。
⑲ 2018（平成30）年5月より地域密着型特別養護老人ホームに入居。住まいはユニット型の個室であり、孫の写真を飾っている。
⑳ 家族は43歳の息子とその妻、孫（小学校2年生・保育園児）の5人暮らし。比較的近い距離で2週間に1回程度面会がある。
㉑ 介護保険制度を利用している。

 演習2-1　情報収集とは

次の文章の空欄に入るもっとも適切な語句を語群から選んでみよう。

- 情報収集とは、意図的な観察により、利用者の ① をとらえるために行うことである。

  介護を必要としている人は、生い立ちや価値観、かかえている障害や病気など、その人ごとに違う。介護福祉職は、そのように多様な背景をもつ利用者の1人ひとりの心身の状態に応じた介護をするため、すなわち ② の実践のために情報収集を行う。

- 情報収集は直接的な情報収集と間接的な情報収集に分けられる。

  直接的な情報収集では、利用者や家族との ③ 、また、利用者と介護福祉職との ④ が大きく影響する。とくに ④ がないと、利用者がこころを開いてくれない。

  間接的な情報収集とは、介護チームや他職種からの報告・ ⑤ ・相談による情報提供や ⑥ を介して情報を収集することをいう。

  間接的な情報収集を効果的に行うには、ふだんからの ⑦ が円滑にとれていることが重要である。

- 1人の人間の情報は膨大にある。そのため ⑧ を活用することでその人の生活像の全体を可視化することができる。

語群

信頼関係	ICF（ICFモデル・国際生活機能分類）	記録	人間関係
生活の全体像	コミュニケーション	連絡	個別ケア

演習2-2　情報収集とICF

　以下の情報はICFのうち、どの項目に該当するか考えてみよう。

①Cさん、80歳、女性
②軽度の認知症がある（HDS-R　19点）
③レクリエーションに「参加したくない」と言う
④ベッドでうとうとしたり、テレビをながめたりして1日を過ごす
⑤元気がなく沈みがち
⑥歩行器を使っての移動が可能
⑦特別養護老人ホームに入居
⑧長男、次女が月に1～2回程度面会に来る
⑨7人きょうだいの長女
⑩もともとはおしゃれに気をつかっていた

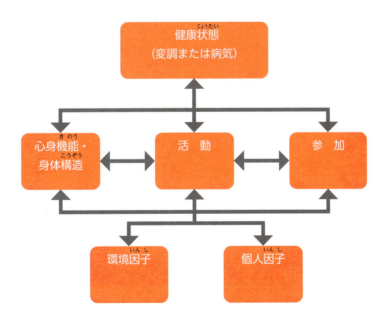

第3節 アセスメント（解釈・関連づけ・統合化）

学習のポイント
- アセスメントの思考の方法を理解する
- アセスメントでは諸知識を統合することの必要性を理解する
- 個別ケアにおけるアセスメントの意義を理解する

関連項目 ④『介護の基本Ⅱ』▶第1章「介護福祉を必要とする人の理解」

1 解釈・関連づけ・統合化とは

　1人ひとりの心身の状況に応じた生活支援を行うには、利用者が何に困っているのか、利用者が望む生活の実現を阻んでいる原因は何かなど、利用者の生活上の課題を明確にする必要があります。

　そのためには、利用者からえられた情報の意味を解き明かし、生活課題を導き出す思考をします。この生活課題を導き出す思考の方法を**情報の解釈・関連づけ・統合化**といいます（図2－6）。

　情報の解釈・関連づけ・統合化は、さまざまな説明がなされています。どれも間違いではないですが、中立的にこれらを辞書的な意味で示すと以下のようになります。

> ・解釈
> 　文章や物事の意味を受け手側から理解すること、またそれを説明すること
> ・関連づけ
> 　ある事柄とほかの事柄とのあいだにつながりをもたせる、結びつけること
> ・統合化

> 2つ以上のものを1つにまとめ合わせること

以上の説明をもとに、本書では次のように定義します。

> 情報の解釈・関連づけ・統合化とは、関係する情報を結びつけ、その意味を解き明かし、それらの結果をまとめ合わせて生活課題を明らかにすること

「情報の解釈・関連づけ・統合化」は、思考過程で同時に一体的に行われる、1つの思考の方法です。たとえば、解釈だけを行う、もしくは関連づけと統合化だけを行うなどという思考はありえないということです。

図2-6 情報の解釈・関連づけ・統合化のイメージ

Bさんの情報（抜粋）
- 右片麻痺の程度が重く、車いすを使用。
- ゆっくりであれば健側にて車いすの自走は可能。
- 右側に寄ることが多く、直進操作がスムーズにいかない。
- 入浴：全介助で、健側でできる部分は協力する様子がみられる。

Bさんの情報の解釈・関連づけ・統合化（例）

車いすの自走をはじめ、あらゆる場面で、健側で可能なことは自分で行うことができている。また、自分でできるところは自分で行おうとする意欲も感じられる。
しかし、車いすの直進操作がスムーズにいかないなど、もてる力（潜在能力）を発揮するうえで困難が生じていることもある。

Bさん

2 解釈・関連づけ・統合化に必要な姿勢

(1) アセスメントが介護の方向性を決める

一連のアセスメントによって導き出された生活課題をもとに、介護計画の立案へと進みます。つまり、アセスメントの結果で介護の方向性が

決まることになります。そのため、介護過程ではアセスメントが大変重要だとこころえましょう。

（2）学習した知識を活用する

　情報の解釈・関連づけ・統合化は、専門的知識を活用して情報を解釈するために、介護福祉に関する多くの知識が必要です。学習の段階ではそれぞれの知識を科目別に学習しますが、情報の解釈・関連づけ・統合化を行うときには、科目別に学習した知識を受けついで、統合する力が求められます。多角的に情報の解釈ができるよう訓練を積みましょう。

　また、わからない、もしくは不確かな知識があればそのままにせずに、その科目に戻って調べ直しをしておきましょう。

（3）利用者の望む生活のための手段

　アセスメントは、利用者の望む生活を実現するための手段の1つです。手段は1つではありません。現在では、アセスメントの視点や方法はさまざまであり、標準化された視点や方法を確立するにいたっていないのが実情です。しかし、たとえアセスメントの視点や方法は多様であっても、情報を関連づけて、その意味を解釈するという思考過程は共通しています。

　このような考えに立つと、アセスメントの視点や方法論が異なっていたとしても、導き出された生活課題に妥当性と客観性があり、利用者の納得がえられるものであれば、問題はありません。

3 本書におけるアセスメントの視点

　情報の解釈・関連づけ・統合化では、利用者の生活状態をあらわすたくさんの情報から関連する情報同士を結びつけ、その意味を解釈しなければなりません。

　何の手がかりもないまま単に情報をながめていても、その情報をどの観点から考えるとよいのか、わからなくなることがあります。そこで、思考の方向性を示すものがあると、それを手がかりにアセスメントを進めやすくなります。

　そこで、本書では、情報の解釈・関連づけ・統合化をするための考え

> **表2-2** アセスメントの3つの視点
>
> ① 自立の視点
> ② 快適の視点
> ③ 安全の視点

方として、アセスメントの3つの視点を設定しています（**表2-2**）。

ただし、上記のとおり、このアセスメントの3つの視点や「4 解釈・関連づけ・統合化のトレーニング」以降行われる情報の解釈・関連づけ・統合化のやり方は一例です。どの方法が第1によいとか、どれが悪いということはありません。一度読んで実践をしてみてから、自身のやりやすいやり方で挑戦してみるのもよいでしょう。

4 解釈・関連づけ・統合化のトレーニング

ここでは、第2節で示したBさんの情報（**表2-3**）を一部抜粋し、情報の解釈・関連づけ・統合化のトレーニングをしましょう。

以下の例では、集めた情報の解釈・関連づけ・統合化をしています。事例の表面的な部分だけを追うのではなく、どのようにして解釈・関連づけ・統合化がなされたのか、その思考の方法に注目しましょう。

また、情報の解釈・関連づけ・統合化にあたっては、これまで科目別に学習した内容を関連づけ、統合する力が求められることが必要だと述べてきました。学習したことを思い返し、不明な点は調べるなど、しっかりとその意識をもってのぞみましょう。

●例1　自立の視点からの解釈・関連づけ・統合化

自立の視点に関係していると思う情報として、次の⑪・⑫・⑭・⑯・⑰・⑱の6つを選びました。

> ⑪イベントへの参加や他者との交流をうながしても「はい」と返事をするが、自室から出てくる様子はみられない。
> ⑫移動：右片麻痺の程度が重く、車いすを使用。ゆっくりであれば

表2-3　Bさんの情報（表2-1を再掲）

情報（利用者の生活像）　＊（　）はICFモデルの構成要素

1　人生のどの時期にあって（個人因子）
①Bさん、71歳、男性、元会社員。
②退職を数か月後にひかえた2017（平成29）年11月に脳梗塞を発症し入院治療にて回復したが、右片麻痺の後遺症がみられる。
③昨年の健康診断で血圧が高めとの指摘があり指導を受けたが、気にはとめていなかった。
④2018（平成30）年3月で退職予定のため、退職後は自分の好きなことを楽しんだり、孫との時間をもったりして過ごしたいと家族に話をしていた。
⑤仕事は12月末に退職した。
⑥妻は2013（平成25）年に他界。息子夫婦と同居していたが、夫婦ともにフルタイムで仕事をしているため、2018（平成30）年5月より地域密着型特別養護老人ホームへ入居となった。
⑦会社員のころは、会社仲間と釣りに行くことを趣味にしていた。

2　どのような心身の状態で（健康状態、心身機能・身体構造）
⑧脳梗塞による右片麻痺の後遺症がある。
⑨高血圧症のため降圧剤を朝食後に服用している。
⑩「生活に慣れましたか」と問うと、首を横に振り、表情が暗くなる。「思うようにからだが動かない」と言いながら、右手をさすっている。
⑪イベントへの参加や他者との交流をうながしても「はい」と返事をするが、自室から出てくる様子はみられない。

3　どのように生活している人なのか（活動、参加、環境因子）
⑫移動：右片麻痺の程度が重く、車いすを使用。ゆっくりであれば健側にて車いすの自走は可能だが、右側に寄ることが多く、直進操作がスムーズにいかない。
⑬排泄：昼間はトイレまで車いす自走にて移動可能。便座移乗は介助。夜は自室にてポータブルトイレを使用。
⑭衣服の着脱：上衣は協力動作がみられるため一部介助（左腕を通す・脱ぐ、ボタンのかけはずし）。下衣は2人介助で着脱する。
⑮整容：自室の洗面所にて歯みがき、洗面は左手で可能だが一部介助を要する。
⑯入浴：全介助で、健側でできる部分は協力する様子がみられる。
⑰食事：左手を使いゆっくりだがスプーンを使用して食べることが可能。
⑱週に2回、健側機能を維持するためリハビリテーションに参加している。
⑲2018（平成30）年5月より地域密着型特別養護老人ホームに入居。住まいはユニット型の個室であり、孫の写真を飾っている。
⑳家族は43歳の息子とその妻、孫（小学校2年生・保育園児）の5人暮らし。比較的近い距離で2週間に1回程度面会がある。
㉑介護保険制度を利用している。

健側にて車いすの自走は可能だが、右側に寄ることが多く、直進操作がスムーズにいかない。
⑭衣服の着脱：上衣は協力動作がみられるため一部介助（左腕を通す・脱ぐ、ボタンのかけはずし）。下衣は2人介助で着脱する。
⑯入浴：全介助で、健側でできる部分は協力する様子がみられる。
⑰食事：左手を使いゆっくりだがスプーンを使用して食べることが可能。
⑱週に2回、健側機能を維持するためリハビリテーションに参加している。

⑫・⑭・⑯・⑰について、自立の視点で考えると、車いすの自走や衣服の着脱、入浴、食事などの場面で、健側で可能なことは自分で行うことができている。また、自分でできるところは自分で行おうとする意欲も感じられる。

しかし、移動においては⑫の車いすの直進操作がスムーズにいかないなど、もてる力（潜在能力）を発揮するうえで困難が生じている。

⑱では、週2回のリハビリテーションに参加しているため、リハビリテーションにより健側を活用した動作が安定してできるようになると、さらにもてる力（潜在能力）を発揮しやすくなると考えられる。そのことで、自分への自信を取り戻し、⑪の自室から出て他者と交流することに対する抵抗感がやわらぎ、少しずつ行動範囲を広げやすくなり、生活空間を拡大することにつながるのではないか。

また、他者との交流に抵抗を感じているBさんだが、週2回のリハビリテーションには参加していることを考えると、自分でできることを増やしたい、できるようになりたいという思いがあることも予測される。

●例2　快適の視点からの解釈・関連づけ・統合化

快適の視点に関係していると思う情報として、次の①・②・④・⑤・⑦の5つを選びました。

①Bさん、71歳、男性、元会社員。
②退職を数か月後にひかえた2017（平成29）年11月に脳梗塞を発症し入院治療にて回復したが、右片麻痺の後遺症がみられる。
④2018（平成30）年3月で退職予定のため、退職後は自分の好きなことを楽しんだり、孫との時間をもったりして過ごしたいと家族に話をしていた。
⑤仕事は12月末に退職した。
⑦会社員のころは、会社仲間と釣りに行くことを趣味にしていた。

　①・②・④・⑤・⑦について、パワーレス状態を招く状況はないかを考えると、Bさんは老年期にあり身体機能の低下にあわせた生活の仕方や、役割の喪失にともなう人生の再設計が求められる時期にある。
　そのうえ、今回、退職後の自由な生活を楽しみにしていたときに、予期せぬ脳梗塞を発症し後遺症が残るという状態になり、精神的なショックが大きかったと予測される。
　楽しみにしていた退職後の生活に対する失望感、他者の世話を必要とする自分の状態に対する無念さなど、精神的苦痛があるのではないだろうか。また、定年まで仕事をやり抜きたいという社会的責任や役割も意識していたと思われる。
　また、釣りを趣味にしていたBさんだが、脳梗塞による右片麻痺状態になりながらも、楽しみや生きがいを見いだしていく必要があるだろう。麻痺があるから何もできないという思いから生活が不活発にならないよう、Bさんの思いに寄り添い支えつつ、いっしょに考えていく必要があるだろう。

●例3　安全の視点からの解釈・関連づけ・統合化

　安全の視点に関係していると思う情報として、次の③・⑧・⑨の3つを選びました。

③昨年の健康診断で血圧が高めとの指摘があり指導を受けたが、気にはとめていなかった。

⑧脳梗塞による右片麻痺の後遺症がある。
⑨高血圧症のため降圧剤を朝食後に服用している。

③・⑧・⑨について、安全の視点で考えると、Bさんの脳梗塞の発症は、血圧が高めと指摘されたが気にはとめていなかったということと関連していると考えられる。
脳梗塞の原因には高血圧があり、何らかの刺激で血圧の急激な変動が生じ、発症したのではないか。現在も降圧剤を服用しているが、急激な血圧の変動が生じることで脳梗塞の再発を招く可能性がある。

　以上が、アセスメントの3つの視点を活用した例示です。詳しい思考過程の説明については表2－4もあわせて確認してください。
　アセスメントの視点にもとづき、すべての情報を解釈・関連づけ・統合化した例示を表2－4に示しています。

5　生活課題の明確化

　アセスメントの目標は、利用者ごとに何が生活上の課題になったのかを根拠をもって浮き彫りにすることです。それにより、合理的で利用者や家族に納得のえられる支援を考えることができるようになります。
　そこで、ここからは利用者の生活課題を明確にします。
　情報の解釈・関連づけ・統合化は本書で提示した3つの視点別に行いましたので、自立・快適・安全のどの部分に、どのような生活課題が生じているのか、また今後予測される生活上の支障や困難の有無など、情報の解釈・関連づけ・統合化の結果から「生活課題」として導き出した内容を整理します。
　上記の情報の解釈・関連づけ・統合化を例示した結果から、生活課題を導き出してみましょう。

（1）自立の視点

　⑫・⑭・⑯・⑰について、「もてる力（潜在能力）を発揮できているか」

表 2-4 アセスメントの視点にもとづくBさんの情報の解釈・関連づけ・統合化

情報（利用者の生活像）	アセスメント関連番号	情報の解釈・関連づけ・統合化
1 人生のどの時期にあって（個人因子） ①Bさん、71歳、男性、元会社員。 ②退職を数か月後にひかえた2017（平成29）年11月に脳梗塞を発症し入院治療にて回復したが、右片麻痺の後遺症がみられる。 ③昨年の健康診断で血圧が高めとの指摘があり指導を受けたが、気にはとめていなかった。 ④2018（平成30）年3月で退職予定のため、退職後は自分の好きなことを楽しんだり、孫と話をして時間をもったりして過ごしたいと家族に話をしていた。 ⑤仕事は12月末に退職した。 ⑥妻は2013（平成25）年に他界。息子夫婦と同居していたが、夫婦ともにフルタイムで仕事をしているため、2018（平成30）年5月より地域密着型特別養護老人ホームへ入居となった。 ⑦会社のころは、会社仲間と釣りに行くことを趣味にしていた。	**自立の視点** ⑪・⑫・⑭・⑯・⑰・ ⑱ ⑥・⑩・⑪	**自立の視点** ⑫・⑭・⑯・⑰について、自立の視点から考えると、車いすの自走や衣服の着脱、入浴、食事などの場面で、健側で可能なことは自分で行うことができている。また、自分でできるところは自分で行おうとする意欲も感じられる。 しかし、移動においては⑫の車いすの直進操作がスムーズにいかないなど、もてる力（潜在能力）を発揮するうえでの困難が生じている。 ⑱では、週2回のリハビリテーションに参加しているため、リハビリテーションにより健側を活用した動作が安定してできるようになると、さらにもてる力（潜在能力）を発揮しやすくなると考えられる。そのことで、自分への自信を取り戻し、⑪の自室から出て他者と交流することにつながるのではないか。 動範囲を広げっていき、生活空間を感じることを増やしたい、できるようになりたいという思いがあるBさんだが、週2回のリハビリテーションには参加していることを考えると、他者との交流に抵抗することなく、自分ができることを増やしたい、できるようになりたいという思いがあることが予測される。 ⑥・⑩・⑪より、⑩で〔生活に慣れましたか〕の問いかけに対して、首を横に振り、表情が暗くなることや、⑪の〔自室から出てくる様子はみられない〕という状況から、地域密着型特別養護老人ホームに入居後間もない状態で人的・物理的な生活環境や右片麻痺にともなう生活スタイルの変化に適応できていないと予測される。そのため自室にこもりがちになり生活が受動的になりやすく、自分の生活に対する不安や思いを表出できている状態ではないのではないか。この状態では生活を活性化しているとはる考えにくい。
2 どのような心身の状態で（健康状態、心身機能・身体構造） ⑧脳梗塞による右片麻痺の後遺症がある。 ⑨高血圧症のため降圧剤を朝食後に服用している。 ⑩〔生活に慣れましたか〕と問うと、首を横に振り、表情が暗くなる。「思うようにからだが動かない」と言いながら、右手をさすっている。 ⑪イベントへの参加や他者との交流をうながしても「はい」と返事をするが、自室から出てくる様子はみられない。	**快適の視点** ⑩・⑪ ⑥・⑲・⑳	**快適の視点** ⑩・⑪より、⑩で出てくる様子はみられないから、自室から出たがらないのではないか。からだを自由に動かせない状態で人前に出たくないという思いから、自室から出てくることができていないことも要因として考えられる。Bさんの自尊感情が低くなっており、自分の身体的変化を受け入れることができていないことも要因として考えられる。また、父親、祖父としての役割を果たせる状況にない自分自身を不甲斐なく思い、心理的苦痛が大きいのではないか。自尊感情が傷つき心理的苦痛による不安や思いを表出できる機会をつくり、自尊感情を高める必要があるだろう。 ⑲・⑳より、生活スタイルについては入居生活による変化や右片麻痺の状態に応じて、新たな生活動作を身につける必要があり、これまでの生活を継続するのが困難な状況もある。しかし、自室にBさんの家族の写真を飾るなど、家族の一員としてのかかわりは維持されている。息子夫婦や孫の面会が2週間に1回程度あるなど、家族の一員としてのかかわりは維持されている。家族の存在が現時点でのBさんのこころの支えになっていると推測される。

第3節　アセスメント（解釈・関連づけ・統合化）

3　どのように生活しているのかなのか（活動、参加、環境因子） ⑫移動：右片麻痺の程度が重く、車いすを使用。ゆっくりであれば健側にて車いすの自走は可能だが、右側に寄ることが多く、直進操作がスムーズにいかない。 ⑬排泄：昼間はトイレまで車いす自走にて移動可能、便座移乗は介助。夜は自室にてポータブルトイレを使用。 ⑭衣服の着脱：上衣は協力動作がみられるため一部介助（左腕を通す・脱ぐ、ボタンのかけはずし）。下衣は2人介助での着脱が可能。 ⑮整容：自室の洗面所にて歯みがき、洗面は左手での可能だが一部介助を要する。 ⑯入浴：全介助で、健側でできる部分は協力する様子がみられる。 ⑰食事：左手を使いゆっくりだがスプーンを使用して食べることが可能。 ⑱週に2回、健側機能を維持するためのリハビリテーションに参加している。 ⑲2018（平成30）年5月より地域密着型特別養護老人ホームに入居。住まいはユニット型の個室であり、孫の写真を飾っている。 ⑳家族は43歳の息子とその妻、孫（小学校2年生、保育園児）の5人暮らし。比較的近い距離で2週間に1回程度面会している。 ㉑介護保険制度を利用している。	一方、⑥で人生をともに歩んできた妻は2013（平成25）年に他界しており、息子夫婦と同居ではあるが父親として精神的苦痛を表現しにくいのではないだろうか。 ①・②・④・⑤・⑦ ①・②・④・⑤・⑦について、パワーレス状態を招くことを考えると、Bさんは老年期にあり身体機能の低下が健康不良にともなう人生の再設計が求められる時期にある。そのうえ、今回、精神的なショックが大きかったことを予測されると、退職後の自由な生活を楽しみにしていたときに、役割の喪失感、退職後の生活に対する失望感、楽しみにしていた退職後の生活に対する無念さなど、他者の世話を必要とする自分の状態に対しての精神的苦痛があるのではないだろうか。また、定年まで仕事をやり抜くといった社会的責任や役割を意識していたと思われる。 また、釣りを趣味にしていたBさんだが、脳梗塞による右片麻痺状態になりながらも、楽しみやすいがいを見いだしていく必要があるだろう。麻痺があるから何もできないという思いから生活が不活発にならないよう、Bさんの思いに寄り添い支えつつ、いっしょに考えていく必要があるだろう。 **安全の視点** ③・⑧・⑨ ③・⑧・⑨について、安全の視点で考えると、Bさんの脳梗塞の発症は、血圧が高めと指摘されたのが気にとめていなかったということに関連していると考えられる。 脳梗塞の原因には高血圧があり、何らかの刺激で血圧の急激な変動が生じ、発症したのではないか。現在も降圧剤を服用しているが、急激な血圧の変動が生じることで脳梗塞の再発を招く可能性がある。 ⑫・⑭・⑮・⑯・⑰ ⑫・⑭・⑮・⑯・⑰より、健側を活用した生活動作を行っているが、利き手ではないため、ぎこちない状態になることが予測される。そのため、さまざまな生活場面で事故につながる可能性がある。なかでも、適切な車いす操作の方法や安全な環境整備について留意する必要がある。

を考えると、車いすの自走や衣服の着脱、入浴、食事などの場面で、健側で可能なことは自分で行うことができている。また、自分でできるところは自分で行おうとする意欲も感じられる。

しかし、移動においては⑫の車いすの直進操作がスムーズにいかないなど、もてる力（潜在能力）を発揮するうえで困難が生じている。

⑱では、週2回のリハビリテーションに参加しているため、リハビリテーションにより健側を活用した動作が安定してできるようになると、さらにもてる力（潜在能力）を発揮しやすくなると考えられる。そのことで、自分への自信を取り戻し、⑪の自室から出て他者と交流することに対する抵抗感がやわらぎ、少しずつ行動範囲を広げやすくなり、生活空間を拡大することにつながるのではないか。

また、他者との交流に抵抗を感じているBさんだが、週2回のリハビリテーションには参加していることを考えると、自分でできることを増やしたい、できるようになりたいという思いがあることも予測される。

> 自立の視点の生活課題：自分でできることは自分で行おうとする意欲はあるが、健側を活用した車いす操作には困難を感じている。

（2）快適の視点

①・②・④・⑤・⑦について、パワーレス状態を招く状況はないかを考えると、Bさんは老年期にあり身体機能の低下にあわせた生活の仕方や、役割の喪失にともなう人生の再設計が求められる時期にある。

そのうえ、今回、退職後の自由な生活を楽しみにしていたときに、予期せぬ脳梗塞を発症し後遺症が残るという状態になり、精神的なショックが大きかったと予測される。

楽しみにしていた退職後の生活に対する失望感、他者の世話を必要とする自分の状態に対する無念さなど、精神的苦痛があるのではないだろうか。また、定年まで仕事をやり抜きたいという社会的責任や役割も意識していたと思われる。

また、釣りを趣味にしていたBさんだが、脳梗塞による右片麻痺状態になりながらも、楽しみや生きがいを見いだしていく必要があるだろう。麻痺があるから何もできないという思いから生活が不活発にならな

いよう、Ｂさんの思いに寄り添い支えつつ、いっしょに考えていく必要があるだろう。

> 快適の視点の生活課題：退職後の生活に対する失望感やストレスを軽減する必要がある。

（3）安全の視点

③・⑧・⑨について、安全の視点で考えると、Ｂさんの脳梗塞の発症は、血圧が高めと指摘されたが気にはとめていなかったということと関連していると考えられる。

脳梗塞の原因には高血圧があり、何らかの刺激で血圧の急激な変動が生じ、発症したのではないか。現在も降圧剤を服用しているが、急激な血圧の変動が生じることで脳梗塞の再発を招く可能性がある。

> 安全の視点の生活課題：自分への自信を取り戻すためにも、脳梗塞の再発を防ぎたいと考えている。

Ｂさんの情報の解釈・関連づけ・統合化、生活課題の明確化の例示は、**表2－5**のとおりです。この段階までいたると、アセスメントの終了です。

ここまで行ってきたことが、情報収集でえられた情報を、アセスメントの3つの視点と結びつけ、その情報を解釈し、解釈結果から生活課題を導き出すという一連の思考過程です。

最初はスムーズに進められずむずかしいという印象が強いと思いますが、根気強くトレーニングを重ね、修得をめざしましょう。介護福祉の理念をアセスメントの視点として活用し修得する過程で、おのずとみなさんのなかに介護福祉の理念が定着していくことを期待しています。

表2－5 アセスメントの視点にもとづくBさんの情報の解釈・関連づけ・統合化、生活課題の明確化

情報（利用者の生活像）	アセスメント関連番号	情報の解釈・関連づけ・統合化	生活課題の明確化
1 人生のどの時期にあって（個人因子） ①Bさん、71歳、男性、元会社員。 ②退職を数か月後にひかえた2017（平成29）年11月に脳梗塞を発症し入院治療にて回復したが、右片麻痺の後遺症がみられる。 ③昨年の健康診断で血圧が高めとの指摘があり指導を受けたが、気にはとめていなかった。 ④2018（平成30）年3月に退職予定のため、退職後は自分の好きなことをして楽しんだり、孫との時間をもったりして過ごしたいと家族とも話をしていた。 ⑤仕事は12月末に退職した。 ⑥妻は2013（平成25）年に他界。息子夫婦と同居していたが、2018（平成30）年5月より地域密着型特別養護老人ホームへ入居となった。 ⑦会社員のころは、会社仲間と釣りに行くことを趣味にしていた。	**自立の視点** ⑪・⑫・⑭・ ⑯・⑰・⑱	**自立の視点** ⑫・⑭・⑯・⑰について、自立の視点から考えると、車いすの自走や着脱、食事などの場面で、可能なことは自分で行うことができている。また、自分でできるところは自分で行おうとする意欲も感じられる。 しかし、移動においては⑫の車いすの直進操作がスムーズにいかないなど、もてる力（潜在能力）を発揮するうえで困難が生じている。 ⑱では、週2回のリハビリテーションに参加しているため、リハビリテーションにより健側を活用した動作が安定してできるようになると、さらにもてる力（潜在能力）を発揮しやすくなると考えられる。そのことで、自分への自信を取り戻し、⑯の自室から出て他者と交流することにつながるのではないか。また、他者との交流に抵抗を感じているBさんが、週2回のリハビリテーションには参加していることから、自分でできることを増やしたい、できるようになりたいという思いがあることも予測される。	**自立の視点** 1）自分でできることは自分で行うことや、自分でできるところは自分で行おうとする意欲はあるが、健側を活用した車いす操作には困難を感じている。
2 どのような心身の状態で（健康状態、心身機能・身体構造） ⑧脳梗塞による右片麻痺の後遺症がある。 ⑨高血圧症のため降圧剤を朝食後に服用している。 ⑩「生活に慣れましたか」と問うと、「思うようにからだが動かない」と言いながら、首を横に振り、表情が暗くなる。	**自立の視点** ⑥・⑩・⑪ **快適の視点** ⑩・⑪	⑥・⑩・⑪で「生活に慣れましたか」の問いかけに対して、⑩の「自室から出てくる様子はみられない」ということや、⑩の「自室から出ていない状態で人前に出たくないという状況から、地域密着型特別養護老人ホームに入居後間もない状態で人的・物理的な生活環境や右片麻痺の変化に適応できていないと予測される。そのため自室にこもりがちになり生活が受動的になりやすく、自分の生活に対する不安や思いを表出できる状況にないのではないか。この状態では生活が活性化しているとは考えにくい。	**快適の視点** 1）入居後間もないこともあり、生活環境や生活スタイルの変化に不安感をもっている。
	自立の視点 ⑥・⑩・⑪ **快適の視点** ⑥・⑲・⑳	⑩・⑪より、⑩で「自室から出てくる様子はみられない」ということは、からだを自由に動かせない状態で人前に出たくないという思いから、自分の身体的変化、Bさんの自尊感情が低くなっており、自分の身体的変化を受け入れられていないのではないか。このことも要因として考えられる。また、祖父として、父親、夫としての役割を果たせない状況になり自分自身を不甲斐なく思い、心理的苦痛が大きいのではないか。自尊感情が傷つき心理的苦痛を高める必要があるだろう。 ⑲・⑳より、生活スタイルについては入居生活による変化や右片麻痺の状態に応じて、新たな生活動作に対	**快適の視点** 1）Bさんにとっての自尊感情を高める必要がある。 2）息子夫婦に対

第3節 アセスメント（解釈・関連づけ・統合化）

第2章 介護過程の理解

を身につける必要があり、これまでの生活を継続するのが困難な状況もある。しかし、自室に孫の写真を飾る、息子夫婦や孫の面会が2週間に1回程度あるなど、家族の一員としてのかかわりは維持されている。家族の存在が現時点でのBさんのこころの支えになっていると推測される。
一方、⑥で人生をともに歩んできた妻は2013（平成25）年に他界しており、息子夫婦と同居ではあるが父親として精神的苦痛を表現しにくいのではないだろうか。

①・②・④・⑤・⑦について、パワーレス状態を招く状況はないかを考えると、Bさんは老年期にあり、身体機能の低下にあわせた生活の仕方や、役割の喪失にともなう人生の再設計が求められる時期にある。そのうえ、今回、退職後の自由な生活を楽しみにしていたところに、予期せぬ脳梗塞を発症し後遺症が残るという状態になり、精神的なショックが大きかったと予測される。
楽しみにしていた退職後の生活に対する失望感、他者の世話を必要とする自分の状態に対する無念さなど、精神的苦痛があるのではないだろうか。また、定年まで仕事をやり抜くという社会的責任や役割も意識していたと思われる。
また、釣りを趣味にしていたBさんだが、脳梗塞による右片麻痺状態になりながらも、楽しみや生きがいを見いだしていく必要があるだろう。麻痺があるからもうできないという思いから生活が不活発にならないよう、Bさんの思いに寄り添い支えつつ、いっしょに考えていく必要があるだろう。

安全の視点
③・⑧・⑨について、安全の視点と関連して考えると、Bさんの脳梗塞の発症は、血圧が高めと指摘されたが気にはとめていなかったことが原因で、脳梗塞の原因は高血圧であり、何らかの刺激で血圧の急激な変動が生じ、発症したのではないか。現在も降圧剤を服用しているが、急激な血圧の変動を生じることで脳梗塞の再発を招く可能性がある。

⑫・⑭・⑮・⑯・⑰より、健側を活用した生活動作を行っているが、利き手ではないため、ぎこちない状態になることが予測される。そのため、さまざまな生活場面で事故につながる可能性がある。なかでも、適切な車いす操作の方法や安全な環境整備について留意する必要がある。

して、現在の思いは表現しにくいものの、家族との関係を維持したいと考えている。

3) 退職後の生活に対する失望感やストレスを軽減する必要がある。

安全の視点
1) 自分への自信を取り戻すためにも、脳梗塞の再発を防ぎたいと考えている。

2) 車いす操作の方法や安全な環境整備に留意するなど、生活動作にともなう事故を回避する必要がある。

---

⑪イベントへの参加や他者との交流をうながしても「はい」と返事をするが、自室から出てくる様子はみられない。

3 どのように生活しているのか（活動、参加、環境因子）

⑫移動：右片麻痺の程度が重く、車いすを使用。ゆっくりであれば車いすにて自走可能だが、右側に寄ることが多く、直進動作がスムーズにいかない。
⑬排泄：昼間はトイレまで車いす自走にて移動可能。便座移乗は一部介助。夜は自室にてポータブルトイレを使用。
⑭衣服の着脱：上衣は協力動作がみられたため一部介助（左腕を通す・脱ぐ、ボタンのかけはずし）。下衣は2人介助で着脱しているが、左手可能部分は協力する。
⑮整容：自室の洗面所にて歯みがき、洗面は左手可能だが一部介助を要する。
⑯入浴：全介助で、健側でできる部分は協力する様子がみられる。
⑰食事：左手を使いゆっくりだがスプーンを使用して食べることが可能。
⑱週に2回、健側機能を維持するためのリハビリテーションに参加している。
⑲2018（平成30）年5月より地域密着型特別養護老人ホームに入居。住まいはユニット型の個室であり、孫の写真を飾っている。
⑳家族は43歳の息子とその妻、孫（小学校2年生、保育園児）の5人暮らし、比較的近い距離で2週間に1回程度面会がある。
㉑介護保険制度を利用している。

演習2-3 アセスメント（情報の解釈・関連づけ・統合化）の確認

介護過程のアセスメントに関する次の記述のうち、適切なものに○、適切でないものに×をつけてみよう。

①アセスメントとは利用者の情報を収集することである。
【　　　】

②アセスメントは、自立支援という介護福祉の理念と密接に関連している。
【　　　】

③利用者の生活課題を導き出すには、情報の解釈だけできても十分ではない。
【　　　】

④アセスメントが不十分でも、その後の介護計画の立案や介護の実施を十分に行うことで自立支援を達成できる。
【　　　】

⑤アセスメントでは、医療やコミュニケーション技術など、他分野の幅広い知識が必要となる。
【　　　】

⑥利用者の生活課題の内容は妥当性と客観性さえあれば十分である。
【　　　】

第3節 アセスメント（解釈・関連づけ・統合化）

演習2-4　情報の解釈をしてみよう

　次のいくつかの情報について、介護福祉職としてどのような解釈ができるでしょうか。グループで話し合ってみよう。

1

① 80歳、女性
② 左大腿骨頸部骨折
③ 歩行器を使っての移動が可能
④ ふだんは車いすで移動する
⑤ 日中共有スペースでおだやかに、テレビを観て過ごす

2

① 87歳、男性
② 有料老人ホームでは常に個室にいる
③ アクティビティには「参加したくない」と言う
④ パソコンを使って小説を書くのが趣味

演習2−5　情報の質と量の大切さを考える

　介護福祉職がさらに情報の収集を行い、演習2−4の情報に次のような情報が加わった。
　演習2−4で行った情報の解釈はどのように変化するだろうか。話し合ってみよう。

1

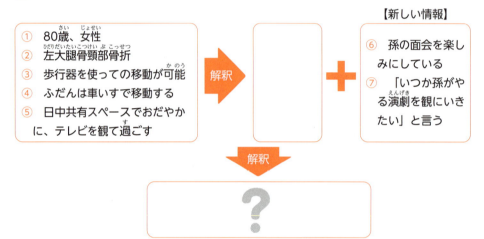

2

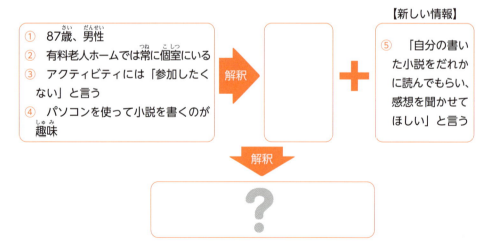

第4節 介護計画の立案

> **学習のポイント**
> - 個別ケア提供における介護計画の意義を理解する
> - 介護計画における介護目標の設定方法を理解する
> - 介護計画の立案方法について理解する
>
> 関連項目 ▶ ③『介護の基本Ⅰ』▶ 第4章「自立に向けた介護」

1 介護計画とは

　介護計画とは、アセスメントによって明確になった生活課題を解決するために、介護目標の設定とその目標達成のための具体的支援内容・支援方法を書式にあらわしたもので、個別援助計画の1つです（p.31）。

　この書式、**介護計画**にもとづき、介護チームによる介護実践、つまり個別ケアが提供されます。

　介護計画は、チームメンバー間で共有できる内容にする必要があります。なぜならば、利用者への介護について、チームメンバーのだれが実践しても、実践の内容と方法にばらつきが出ないよう標準化される必要があるためです。

　つまり、介護福祉職のかかわりの羅針盤の役割を果たしているのが、「介護計画」です。

　本書で用いる介護計画の様式を、**表2－6**に示しています。

2 介護目標の設定

　介護過程の展開における第2段階「介護計画の立案」にあたっては、第1段階の「情報の解釈・関連づけ・統合化」において、生活課題が明

表2-6　介護計画の様式

長期目標 （期間：6か月）	6か月後にどんな生活状態になることをめざすのか、長期目標を記入する。

生活課題	短期目標 （期間：数週間～数か月）	具体的支援内容・方法
・介護目標の設定の根拠になる生活課題を目標別に記入する。 ・この欄に生活課題を記入することで、何を解決するための介護目標であるかを共有できる。	・長期目標を達成するために必要な具体的目標を記入する。 ・優先順位を決定後に、順位の高いものから記入する。 ・生活課題が改善された状態をイメージして文字にする。 ・利用者を主語にした表現とする。	・目標別に、具体的な支援内容とその方法について、内容別に、簡潔に、箇条書きで記入する。 ・チームで共有できるよう、5W1Hを活用して実践レベルで記入する。

確になることで、はじめて介護目標の設定が可能となります。

介護目標の設定の方法

（1）生活課題の再確認

　まず抽出された生活課題が、アセスメントにおいてどの視点から導き出された課題であるかを再確認します。本書の「アセスメントの3つの視点（自立の視点、快適の視点、安全の視点）」を活用した場合には、それぞれの生活課題に対する介護目標の方向性が、その視点の、どの視点に該当するかを明確にして設定します。そうすることで、自立・快適・安全の方向性を見失うことなく介護目標を設定することができます。

（2）目標と生活課題の照合

　次に、介護目標が、どの生活課題を解決するためのものなのかを記載します。それは、介護目標の設定の根拠となった生活課題を明確にするためです。

　介護の実施のあとに評価を行うとき、介護目標の根拠となった生活課

題が明確でなければ、評価するにあたり利用者の何を観察するとよいのかがあいまいになります。

（3）利用者の生活課題が解決した場合の状態像を考え目標を設定する

まず、利用者のかかえている生活課題が解決した場合、最終的にどのような生活状態になることをめざすのか、その状態像を長期の介護目標として表現します。次に、長期目標の達成に必要となる短期の介護目標を、生活課題別に対応させて設定します。その際、介護目標の主語は利用者であることを念頭に表現します。

たとえば、「動作が不安定で転倒・転落事故の可能性がある」という課題を解決できた場合の状態像は、それらが防止できているということです。つまり、この場合の介護目標は「安定した動作で転倒・転落を防止できる」ということになります。

（4）実施する期間を設定する

生活課題の解決に向けた実施が、どの程度の期間をめどに取り組まれるのか、評価が行われる時期を設定します。その期間によって、**長期目標**（6か月から1年程度）、**短期目標**（数週間から数か月程度）として位置づけ、実施と評価がくり返されていきます。

長期目標が最終到達目標であれば、そこにいたるまでに段階的な目標設定が必要であり、それが、短期目標となります。

（5）介護目標設定の留意点

介護目標の設定は、介護計画にもとづく実践の根拠（エビデンス）を示しています。同時に、介護目標は利用者のめざす生活像でもあるため、利用者自身がその目標に対して納得できるものである必要があります。そのため、介護目標は介護福祉職が一方的に決めるのではなく、利用者の意思を反映させ利用者とともに取り組めるものであることが望まれます。

2 目標と生活課題の優先順位を考える

介護計画の立案にあたっては、解決を要する生活課題の優先度を検討

する必要があります。

優先度の判断基準は、身体的、心理的、社会的に苦痛が大きく、利用者の生きる力を損なう可能性やパワーレス状態の可能性がどの程度であるか、緊急性の度合いによって判断します。

例示したBさん（71歳、男性）のアセスメントにおいて、次のように生活課題を導き出しました（表2－7参照、便宜上、通し番号をつける）。

> **自立の視点**
> ❶ 自分でできることは自分で行おうとする意欲はあるが、健側を活用した車いす操作には困難を感じている。
> ❷ 入居後間もないこともあり、生活環境や生活スタイルの変化に不安感をもっている。
>
> **快適の視点**
> ❸ Bさんにとっての自尊感情を高める必要がある。
> ❹ 息子夫婦に対して、現在の思いは表現しにくいものの、家族との関係を維持したいと考えている。
> ❺ 退職後の生活に対する失望感やストレスを軽減する必要がある。
>
> **安全の視点**
> ❻ 自分への自信を取り戻すためにも、脳梗塞の再発を防ぎたいと考えている。
> ❼ 車いす操作の方法や安全な環境整備に留意するなど、生活動作にともなう事故を回避する必要がある。

以上の❶から❼の生活課題の優先順位を考えてみましょう。

Bさんの生活が❸・❺の状態にあるのは、❶・❷のことが関係していると予測されます。❻・❼も身体の安全面から大切ではありますが、緊急性があるという状況ではないと考えました。よって、❶・❷の生活課題を優先し、第1位に❶・❼、第2位に❸・❹・❺を位置づけたいと思います。

なぜならば、❶・❼の課題解決の過程で、❸・❺の軽減や❷の対応も進めやすくなると考えるためです。

そこで、第3位に❷、第4位に❻の生活課題とし、4つの介護目標を立てました（表2－8）。

第4節 介護計画の立案

表 2-7 アセスメントの視点にもとづくBさんの情報の解釈・関連づけ・統合化、生活課題の明確化（表2-5を再掲）

情報（利用者の生活像）	アセスメント関連番号	情報の解釈・関連づけ・統合化	生活課題の明確化
1 人生のどの時期にあって（個人因子） ①Bさん、71歳、男性、元会社員。 ②退職を数か月後にひかえた2017（平成29）年11月に脳梗塞を発症し入院治療にて回復したが、右片麻痺の後遺症がみられる。 ③昨年の健康診断で血圧が高めとの指摘があり指導を受けたが、気にはとめていなかった。 ④2018（平成30）年3月で退職予定のため、退職後は自分の好きなことをして楽しみたいと家族に話をしていた。 ⑤仕事は12月末に退職した。 ⑥妻は2013（平成25）年に他界。息子夫婦と同居していたが、2018（平成30）年5月より地域密着型特別養護老人ホームへ入居となった。 ⑦会社員のころは、会社仲間と釣りに行くことを趣味にしていた。	**自立の視点** ⑪・⑫・⑭ ⑯・⑰・⑱ **快適の視点** ⑥・⑩・⑪	⑫・⑭・⑯・⑱について、自立の視点で考えると、車いすの自走や衣服の着脱、入浴、食事などの場面で、健側で可能なことは自分で行うことができている。また、自分でできるところは自分で行おうとする意欲も感じられる。 しかし、移動においては⑫の車いすの直進操作がスムーズにいかないなど、もてる力（潜在能力）を発揮するうえで困難が生じている。 ⑱では、週2回のリハビリテーションに参加しているため、リハビリテーションにより健側を活用した動作が安定してできるようになると、さらにもてる力（潜在能力）を発揮しやすくなると考えられる。その⑩の自室から出て他者と交流することにつながるからでもないか。⑩では週2回のリハビリテーションには参加していることから、他者との交流に抵抗を感じているBさんだが、できるようになりたいという思いがあることも予測される。 また、他者との交流に自分でできることを増やしたい、自分の行動範囲を広げやすくなり、生活空間を拡大することにつながるのではないか。 ⑥・⑩・⑪より、⑩で「生活に慣れましたか」の問いかけに対して、首を横に振り「生活に慣れてくる様子はみられない」という状況から、表情が暗くなることもあり、地域密着型特別養護老人ホームに入居後何もないと状況で人的・物理的な生活環境と右片麻痺に適応できていない居室間もないと状況で人的・物理的な生活環境や右片麻痺による生活スタイルの変化にもとまどいがあり、自分の生活に対する不安や思いを表出できるような状況にないのではないか。このため自室にこもりがちになり生活が受動的になりやすく、自分の生活に対する不安や思いを表出しているとは考えにくい。 ⑩・⑪より、⑩で「生活に慣れましたか」の問いかけに対して、右片麻痺になり、からだを自由に動かせないという思いで人前に出たくないという状況から、Bさんの自尊感情が低くなっており、自分の身体的変化を受け入れることができていないことも要因として考えられる。また、祖父、父親としての役割を果たせない状況に対し自分自身を不甲斐なく思い、心理的苦痛が大きいのではないか。自尊感情が傷つき心理的苦痛が大きい状況を自身が表出できる機会をつくり、自尊感情を高める必要があるだろう。 ⑲・⑳より、生活スタイルについては入居生活による変化や右片麻痺の状態に応じて、新たな生活動作	**自立の視点** 1）自分でできることは自分で行うことで可能で行うとする意欲はあるが、健側を活用した車いす操作には困難を感じている。 **快適の視点** 1）入居後何もないこともあり、生活環境や生活スタイルの変化に不安感をもっている。 **快適の視点** 1）Bさんにとっての自尊感情を高める必要がある。 2）息子夫婦に対
2 どのような心身の状態で（健康状態、心身機能・身体構造） ⑧脳梗塞による右片麻痺の後遺症がある。 ⑨高血圧症のため降圧剤を朝食後に服用している。 ⑩「生活に慣れましたか」と問うと、首を横に振り、表情が暗くなる。「思うようにからだが動かない」と言いながら、右手をにぎりしめていた。	⑩・⑪ ⑥・⑲・⑳		

観察事項	分析・視点
⑪イベントへの参加や他者との交流をうながしても「はい」と返事をするが、自室から出てくる様子はみられない。	を身につける必要があり、これまでの生活を継続することが困難な状況もある。しかし、自室に孫の写真を飾り、息子夫婦や孫の面会が2週間に1回程度あるなど、家族の一員としてのかかわりは維持されていると推測される。 一方、⑥で人生をともに歩んできた妻は2013（平成25）年に他界しており、父親として精神的な苦痛を表現しにくいのではあるが、家族の存在が現時点でのBさんのこころの支えになっていると推測される。
3 どのように生活しているのか（活動、参加、環境因子）	
⑫移動：右片麻痺の程度が重く、車いすを使用。ゆっくりであれば健側で車いすの自走は可能だが、右腕に寄りかかることが多く、直進操作がスムーズにいかない。	①・②・④・⑤・⑦について、パワーレス状態を招く状況はないかを考えると、Bさんは老年期にあり、身体機能の低下にあわせた生活の仕方や、役割の喪失にともなう人生の再設計が求められる時期にある。そのうえ、今回、退職後の自由な生活を楽しみにしていたことに、予期せぬ脳梗塞を発症し後遺症が残るという状態になり、精神的なショックが大きかったと予測される。 楽しみにしていた退職後の生活に対する失望感、他者の世話を必要とする自分の状態に対する無念さなど、精神的苦痛があるのではないだろうか。また、定年まで仕事をやりぬきたいという社会的責任や役割も意識していたと思われる。 また、釣りを趣味にしていたBさんだが、脳梗塞による右片麻痺状態になりながらも、楽しみや生きがいを見いだしていく必要があるだろう。麻痺があるから何もできないという思いから生活が不活発にならないよう、Bさんの思いに寄り添い支えていっしょに考えていく必要があるだろう。
⑬排泄：昼間はトイレまで車いす自走にて移動可能。便座移乗は介助。夜は自室にてポータブルトイレを使用。	**安全の視点** ③・⑧・⑨について、安全の視点で考えると、Bさんの脳梗塞の発症に関連していると考えられる。 ⑨にはとめていなかったことが指摘された気がかりな点として高血圧がある。現在も降圧剤を服用しているが、何らかの刺激で血圧の急激な変動が生じ、脳梗塞の原因には高血圧があり、何らかの刺激で血圧の急激な変動が生じ、急激な血圧の変動を生じることで脳梗塞の再発を招く可能性がある。
⑭衣服の着脱：上衣は協力動作がみられるため一部介助（左腕を通す、脱ぐ、ボタンのかけはずし）。下衣は2人介助で着脱をする。	⑫・⑭・⑮・⑯・⑰より、健側を活用した生活動作を行っているが、利き手ではないため、ぎこちない状態になることが予測される。そのため、さまざまな生活場面で事故につながる可能性がある。なかでも、適切な車いす操作の方法や安全な環境整備について留意する必要がある。
⑮整容：自室の洗面所にて歯みがき、洗面は左手可能だが一部介助を要する。	
⑯入浴：全介助で、健側でできる部分は協力する様子がみられる。	**安全の視点** 1）自分への自信を取り戻すためにも、脳梗塞の再発を防ぎたいと考えている。 2）車いす操作の方法や安全な環境整備に留意するなど、生活動作にともなう事故を回避する必要がある。
⑰食事：左手を使いゆっくりだがスプーンを使用して食べることが可能。	
⑱週に2回、健側機能を維持するためリハビリテーションに参加している。	
⑲2018（平成30）年5月より地域密着型特別養護老人ホームに入居。住まいはユニット型の個室であり、孫の写真を飾っている。	
⑳家族は43歳の息子とその妻、孫（小学校2年生、保育園児）の5人暮らし。比較的近い距離にて2週間に1回程度面会がある。	して、現在の思いは「はい」と表現しにくいものの、家族との関係を維持したいと考えている。 3）退職後の生活に対する失望感やストレスを軽減する必要がある。
㉑介護保険制度を利用している。	

表2-8　介護目標設定の例

生活課題	介護目標
自立❶：自分でできることは自分で行おうとする意欲はあるが、健側を活用した車いす操作には困難を感じている。 安全❼：車いす操作の方法や安全な環境整備に留意するなど、生活動作にともなう事故を回避する必要がある。	1）左上下肢を活用して安全な車いす操作ができる。
快適❸：Bさんにとっての自尊感情を高める必要がある。 快適❹：息子夫婦に対して、現在の思いは表現しにくいものの、家族との関係を維持したいと考えている。 快適❺：退職後の生活に対する失望感やストレスを軽減する必要がある。	2）自尊感情を高め、精神的苦痛を軽減できる。
自立❷：入居後間もないこともあり、生活環境や生活スタイルの変化に不安感をもっている。	3）新たな生活スタイルを身につける。
安全❻：自分への自信を取り戻すためにも、脳梗塞の再発を防ぎたいと考えている。	4）脳梗塞を再発しない。

　このように、アセスメントや介護目標の設定においては、何をどのように考えるかによって、見解は個々に異なります。だからこそ、チームメンバーによる直接的・間接的な観察が重要であり、チームメンバー間のケアカンファレンスが必要なのです。

3　具体的な支援内容・支援方法の決定

　具体的な**支援内容**は介護福祉職が実際に取り組む内容を記載します。
　また、**支援方法**は、その支援内容を実現させるための具体的な方策を記載します。

(1) 介護チームと利用者にわかる表現にする

　介護計画全般の表現にいえることですが、表現内容は介護チームと利用者の共通理解ができるものであることが重要です。

　そのためには、5W1H（いつ／When、どこで／Where、だれが／Who、何を／What、なぜ／Why、どのように／How）を明確にして、専門用語などを極力用いず、共通の用語で共通の理解ができ、共通の行為ができるレベルで作成することが求められます。

(2)「統合モデル」で立案する

　介護計画の立案は、医学モデルと社会モデルの**統合モデル**をもとに考えます。情報収集の項で取り上げたICFモデルも、医学モデルと社会モデルの統合モデルとして提示されています。

　こんにちの高齢者像は、生活習慣病や加齢現象にともなうロコモティブシンドローム（運動器症候群）、認知症など、何らかの医療サービスを必要としつつ、福祉サービスも必要な状態にある人が多くなっています。

　そこでは、利用者本人へのはたらきかけと同時に、環境へのはたらきかけが求められることになります（図2-7）。

図2-7　障害をとらえる医学モデルと社会モデル

医学モデルでは、障害は個人の問題
障害を病気・外傷やそのほかの健康状態から直接的に生じるものであり、専門職による個別的な治療という形での医療を必要とするものと見る。
→ 解決を目指す**問題志向型**
障害への対処は、治癒あるいは個人のよりよい適応と行動変容を目標とする（解決は、治療・リハビリテーションによる）。

社会モデルでは、障害は社会によって作られた問題
基本的に障害のある人の社会への完全な統合の問題として見る。
→ 解決を目指す**目標志向型**
障害への対処は、障害のある人の社会生活の全分野への完全参加に必要な環境の変更を社会全体の共同責任とする（解決は、社会の環境改善による）。

2つのモデルを使いこなすことが重要！

出典：諏訪さゆり『ICFの視点を活かしたケアプラン実践ガイド』日総研出版、p.214、2007年を一部改変

（3）Bさんの事例の場合

　ここで、具体的な支援内容・支援方法について、「左上下肢を活用して安全な車いす操作ができる」の介護目標を例に考えてみましょう。

　Bさん（71歳、男性）は、脳梗塞の後遺症で右片麻痺があり、現在は左手を使って生活動作を行えるようになった場面もあります。

　しかし、動作がぎこちなく不安定で、とくに車いす移動は不慣れです。さらに、利き手とは逆の左手・左足のみを活用した操作となるため、進行方向が麻痺側にそれやすくなり、安全な移動ができるには時間を要すると考えられます。

　よって、安全な動作で転倒・転落を防止できるようにするためには、
① 　Bさん自身の筋力を低下させないこと
② 　左上下肢での車いす操作に慣れてもらうこと
などが医学モデルの観点から求められる内容であると考えられます。

　一方、社会モデルの観点からは、
① 　適切な福祉用具の活用
② 　ぎこちない動作や不安定な動作で転倒・転落事故が生じないよう環境を整える
③ 　Bさん自身が現状を受け入れ、ポジティブな価値の転換ができるよう支える
などが必要と考えられます。これらをもとに介護計画を組み立てると、表2－9の例示のようになります。

表2-9　介護計画の立案（例示）

長期目標	健側を活用した生活動作を身につけ、生活を活性化できる。

予測される生活課題	短期目標	（期間）	具体的支援内容および方法 （内容）	（方法）	頻度
❶自分でできることは自分で行おうとする意欲はあるが、健側を活用した車いす操作には困難を感じている。 ❼車いす操作の方法や安全な環境整備に留意するなど、生活動作にともなう事故を回避する必要がある。	左上下肢を活用して安全な車いす操作ができる。	5/14 〜 6/10 （4週）	1）自室にて左上下肢のみで安全な車いす操作に慣れてもらう。 2）トイレまでの距離を安全に直進操作ができるよう練習してもらう。	①自室において左上下肢のみで車いすを自走する方法を再度説明し、理解度を確認する。 ②自室にて左上下肢のみで車いすの操作を実践してもらう（3mの往復）。 ③安全な操作が確認できた場合、自室からの移動距離の目標をBさんと話し合って決める。 ④可能であれば自室からトイレまでの距離を安全に移動できることを目標とする。 ⑤安全な操作ができるまでは、トイレまでの移動（10m往復）を見守り、必要時に操作の方法、励まし等の声かけを行う。 ⑥練習する前に、体調および意向を確認する。 ⑦練習する前に、移動の動線上に障害物がないことを確認しておく。 ⑧練習後は疲労および体調の確認をする。 ⑨練習終了時にはカレンダーに印をつけてもらい、練習に対するねぎらいの言葉をかける。	午前・午後に2回ずつ（リハビリテーション参加日および排泄時間を除く）

演習2-6　介護計画の立案における留意点

　介護計画の立案における留意点について、次の文章の空欄に入る適切な語句を語群から選んでみよう。

① 一般的に介護計画は、利用者の生活上の課題を解決した姿をあらわす [　介護目標　] と、それを実現する方法としての [　支援内容・方法　] が盛りこまれる。
② 介護目標は介護福祉職が一方的に決めるものではなく、[　利用者　] といっしょに決める。
③ 利用者の生活上の課題が複数ある場合は、身体的、心理的、社会的に [　苦痛　] が大きかったり、[　緊急性　] の高いものを優先して設定する。
④ 介護目標は、主語を [　利用者　] にして書くようにする。
⑤ 具体的な支援内容や支援方法を検討するときには、利用者がもつ障害そのものに治療や対処をしようと考えるだけでなく、障害は [　社会　] によってつくられた問題であるという認識に立つことが必要である。
⑥ 介護計画は、利用者と介護チーム全員の [　共通理解　] ができるものであることが重要である。

語群　（使用しないものや複数にあてはまるものを含む）

| 利用者 | 社会 | 介護福祉職 | 介護目標 | 個人 |
| 支援内容・方法 | 課題 | 共通理解 | 緊急性 | 苦痛 |

第 5 節

介護の実施

学習のポイント
- 介護過程における「実施」の意義を理解する
- 実施における留意点を理解する
- 実施後の記録の意義と留意点を理解する

関連項目		
③『介護の基本Ⅰ』	▶	第1章「介護福祉の基本となる理念」
③『介護の基本Ⅰ』	▶	第3章「介護福祉士の倫理」
③『介護の基本Ⅰ』	▶	第4章「自立に向けた介護」
⑤『コミュニケーション技術』	▶	第5章「介護におけるチームのコミュニケーション」

1 介護の実施とは

　私たち介護福祉職が行う**介護の実施**は、ただ単にケアをするのではなく、介護計画に示された介護目標の達成を意識した介護実践をいいます。このような介護実践においては、以下のことが可能になります。

1 統一したケアの提供

　まず、介護にたずさわる人の1人ひとりが介護計画の内容を意識して介護実践に取り組むため、統一したケアが提供されることになります。
　たとえば、職員によって利用者への介護の仕方や声のかけ方が違うと、利用者は不安になったり、混乱したりするでしょう。場合によっては思わぬ事故のリスクになったり、せっかく介護計画で立案した生活課題についても改善がむずかしくなったりします（図2－8）。

図2-8 ケアが統一されていない場合

- 私が支えるのでゆっくり立ち上がってください
- 自分で立っていいの？ダメなの？
- いすの背もたれに手をかければ、ご自分で立ち上がれそうですね

2 課題解決に向けた効果的な観察と経過の共有

どの生活課題を解決するための介護実践であるかを共有できているため、課題に関連する内容や利用者の状況などへの観察を深めることができます。

さらに、介護実践が利用者にどのような影響を与えているのか、観察内容とともに記録をすることで、一連の介護実践と利用者の経過を共有することができます。

2 実施における留意点

介護計画にもとづく「実施」をチームでよりよく進めていくためには、以下の4点の留意点を理解する必要があります。

(1) 利用者と家族とともに介護計画を共有すること

介護計画を作成する段階で、利用者やその家族からは同意をえていると思います。

しかし、介護の実施段階でもあらためて支援内容や方法などの具体的な事柄について共有することで、本人や家族の協力姿勢や参加がえられ

やすくなります。

また、そのことは、相互の信頼関係を深めることにもつながります。

（2）介護実践が、チームで行われていることを意識すること

介護チームのメンバー全員が利用者1人ひとりの介護実践において、何がめざされ、何をどのようにすることが必要なのか、個別ケアの詳細を共有する必要があります。

そのための共有ツールとして個別の介護計画を立案し、それにもとづく介護実践をチームで取り組んでいるのです。

日々の実践で、特定の介護福祉職だけ、もしくはある時間帯だけに限って介護計画にもとづく介護実践が行われても、介護目標の達成度を高めることにはつながりません。

（3）実施状況の観察をすること

チームで取り組む介護実践は、ただ提供をするだけでなく、その実施状況の観察をする必要があります。

チームメンバーによる介護実践のばらつきはないか、実践に対する利用者や家族の反応はどうかなどについて、客観的に観察をして実施状況を把握しましょう。

（4）情報共有の場で気づきや疑問点を出し合うこと

よりよい介護実践へと高められるようケアカンファレンスなど、情報共有の場を設け、実践活動を通しての気づきや疑問点を互いに出し合うチーム・組織づくりも重要な鍵となります。

また、ケアカンファレンスの記録は、チーム全体で情報を共有するための貴重な資料となります。

メンバー間に「よりよい活動をめざしてチームで取り組んでいる」という充実感があることは、チーム全体が活性化することにつながります。

3 実施の記録

(1) 記録の種類

　介護実践のときにチームで共有する記録が、表2-10の介護計画書です。その実践状況と利用者の経過記録に相応するのが、**経過記録**になります。介護福祉の記録にはその目的に応じて、多様な種類があり、チームにおける**重要な情報源**となります。おもな記録の種類と目的を整理すると、表2-10のとおりです。

　表2-10に示したように、介護実践の内容・目的に応じて、記録として明文化し保存することで、**介護実践の証明**としての機能を果たします。

(2) 記録する内容(業務日誌や実施評価表)

　記録は、介護福祉職の専門性が問われていることを念頭におき、介護

表2-10 介護記録の種類とその目的

種類	目的
フェイスシート 情報収集シート	利用者の概要を把握できる。 利用者とその環境に関する情報を体系的に収集できる。
アセスメントシート	収集した情報を解釈・関連づけ・統合化することで、利用者がかかえている生活課題を明確にできる。
介護計画書	利用者の介護目標を設定し、達成のために必要な支援内容・方法を確認できる。
経過記録	利用者への介護実践の過程と利用者の時系列の変化を把握できる。
業務日誌	日々の介護業務の概要を把握できる。
実施評価表	個別援助計画にそった実施過程の評価を含め、介護福祉サービス過程全体を評価したもの。
日常介護チェック表	日常的に観察把握が必要な内容について、チェック形式で記入するもの。
ケアカンファレンス記録	利用者への適切な支援活動を行うために、関連職種の参加をえて行われる事例検討を中心とした会議の記録。
事故報告書	介護の全過程において発生する事故のすべての記録。
ヒヤリハット報告書	利用者に被害をおよぼすことはなかったが、介護の現場でヒヤリとしたり、ハッとしたりした場面の記録。

実践のプロセスとそれに対する利用者の反応を記録します。

具体的には、介護福祉職が利用者へかかわりを開始してからの利用者の表情や言動、行動などを観察します。そして、それをどのように感じ、また、いつもと比べどのような状態だと判断したのかを記録します。

そのうえで、介護計画に示された介護内容や方法をどのように実施し、それに対して利用者はどのような反応を示し、どのような状態であったか。その反応や状態は、介護計画に示された目標にてらしてどうであったか、介護福祉職はそれをどのように判断したかなど、介護実践のプロセスを記録します。単なる経過記録にとどまらないよう気をつけましょう。

（3）介護の「実施」記録の留意点

実施記録の留意点は以下のとおりです。

1 正確で客観的な記録にする

介護実践の記録にあたっては、正確で客観的な記録にするために、**事実を書く**ことが重要です。

介護計画に示された観察項目の観察方法や判断基準などにそって事実をとらえ、それに対する介護福祉職の評価と考察を記録します。

感覚的なとらえ方や推測によって、根拠のない記録にならないよう気をつけます（表2-11）。

2 ほかの人に伝わりやすくする

記録はチームで共有する貴重な情報であるため、ほかの人に伝わりや

表2-11　感覚的なとらえ方や推測の例と改善例

感覚的なとらえ方や推測の例	改善例（理由）
・最近、むせることが多くなった。	・2日前からむせることが多くなった（いつなのかを具体的に）。
・やめてもらいたい。	・削除する（私情は書かない）。
・○○さん（入居者）に「○○」と言われ、怒って席を立った。	・○○さん（入居者）に「○○」と言われたあと、席を立った（怒ったかどうかは記録者からみた推測のため書かない）。

すくしましょう。

そのためには、**楷書**[1]で簡潔明瞭に、まわりくどい言いまわしや余計な修飾語をひかえ、わかりやすく書くことが基本です。

3 サインや捺印をする

記録はいつ、どこで、だれが、何を、なぜ、どのように、が書かれています。そのため、利用者本人や家族に対して「正当な介護行為が行われた」ということの証明になります。

<u>社会的責務</u>としての介護実践の記録にもなるため、その<u>責任所在</u>をサインや捺印によって明らかにすることが求められます。

以上のように、介護実践の記録はチームで共有する重要な情報であること、介護実践の評価の基礎になる資料であること、介護実践を証明する資料であることなど、さまざまな役割があります。そのため、そうした役割を自覚して記録することが重要です。

---

[1] **楷書**
基本の字形をくずすことなく書き記すこと。はっきりとわかりやすく書くこと。

第6節 評価

学習のポイント

- 介護過程における評価の意義を理解する
- 評価の内容と方法を理解する
- 個別ケアにおける評価の重要性を理解する

関連項目
- ③『介護の基本Ⅰ』▶ 第3章「介護福祉士の倫理」
- ③『介護の基本Ⅰ』▶ 第4章「自立に向けた介護」

1 評価の意義と目的

　介護過程における**評価**とは、介護実践を重ねたあと、当初立案した介護目標がどれくらい達成されているか、その成果を判定することです。
　1人ひとりのかかえる生活課題を解決するために日々の介護実践が行われています。その介護実践は、**短期目標**、**長期目標**として設定された一定の期間をめどに成果を確認する必要があります。
　介護目標は、利用者からみて自分らしい生活を取り戻した状態をあらわしています。よって、介護目標に近づくこと（生活課題が解決する方向に向かっていること）は、利用者にとっての自分らしい生活に近づきつつあることを意味しています。
　介護過程の目的は、計画を立てるだけではなく、その計画にそった介護を実施し最終的には利用者の生活課題を解決することです。そのため、目標を達成するための支援内容・支援方法がしっかりと理にかなっているか、つまりは、介護福祉職の支援が利用者の生活課題の解決にどれだけ役立っているか否かを評価することが必要です。
　以上のようなことから、介護過程を展開している目的が達成される状況にあるのか否かを、評価という方法で確認することが求められるのです。

2 評価の内容と方法

　介護実践の評価は、短期目標、長期目標で設定されている期間の終了時に行います。
　評価にあたっては、大きく2つの点について把握する必要があります。
　1つ目は、利用者に関する観察をすることです。
　介護目標設定の根拠となった生活課題と、その生活課題の根拠となった情報（事実）の変化の有無について確認します。そのうえで、利用者の状態を介護目標別に観察する必要があります。
　2つ目は、介護チームの実施体制の把握です。介護実践は介護チームによって取り組んでいるためです。

1 利用者に関する観察

　介護目標の根拠となっている事実の状況が、介護実践を開始する前の状態から開始後までの期間に、どの部分がどの程度変化があったかどうかを、直接的に観察します。
　また、介護実践は利用者にとってどのようなものであったか、利用者はどのような思いであるのかなど、介護計画の主体である利用者の受け止め方も把握することが重要です。状況によっては、家族の意見も取り入れる必要があるでしょう。
　間接的な方法としては、介護実践に関連するさまざまな記録からの情報収集があります。自分がかかわっていないあいだの利用者の様子などはこの方法で知ることができます。とくに、経過記録には日々の介護実践にともなう利用者の状態、反応が記録されています。目標設定期間中の経過記録を読み直すことで、直接的な観察内容との関連が明確になります。

2 チームの実施体制の把握

　介護目標の設定期間中の実施記録から、チームメンバーの介護の実施状況を把握します。

介護計画に示された方法で介護の実施ができているか、その状況を経過記録などの実施記録として、適切に記入がなされているかなどについて把握します。メンバーからの意見も求め、情報を多角的に収集しましょう。

　また、期間中に開催されたケアカンファレンス、提出されたヒヤリハット報告書、事故報告書の有無を確認し、評価する利用者に関連した内容について把握します。

　上記の2点を把握をしたうえで、介護目標の達成度、つまり生活課題の解決程度を判断します。

3　評価における留意点

　評価にあたっての観察項目については、できるだけ客観的に観察できるよう、介護計画の立案段階で数値化による評価基準を設定しておきましょう。その観察基準にもとづく結果が蓄積されることになります。

　たとえば、身体計測に関連することはもちろんですが、移動する距離や空間の表示の仕方、排泄物の性状や量など、メンバーによるばらつきが出ないようチーム間で統一した方法を共有する必要があります。

　数値化による表示が困難な項目については、図や絵で示したり、写真を掲示したりなど、客観的で信頼性のある情報になるよう配慮が求められます。そういう意味からも、介護目標は具体的で、何をもって評価できるのかを共有しやすい表現で設定することが必要になります。

4　評価をふまえた介護計画の修正

(1) 目標の達成度の評価

　介護目標の達成度が低いと判断される場合は、介護計画として組み立てた介護内容やその方法が、利用者にとって適切ではなかった、効果的ではなかったことを意味しています。

　効果的ではなかった背景には何があるのかを考えましょう。

　その際はケア自体が利用者の状態に合致していなかったのか、あるいはケアを提供する方法に問題はなかったのかなど、利用者だけにとどまらず介護チームの体制についても検討し、総合的に原因を探る必要があります。

逆に、達成度が高いということは、利用者にとって適切あるいは効果的であったことを証明しています。

（2）計画の修正の方法

　介護目標の達成度が低い場合には、介護過程の情報の収集や再アセスメントを行い、**介護計画の修正**を行います。そして一定の期間、修正した介護計画にもとづく介護実践を継続し、あらためて評価を行うというプロセスをくり返します（図2−9）。

　この一連の介護過程の展開をくり返すことによって、利用者の心身の状況に応じた介護実践を追求できます。これによって、個別ケアの質が高まり、ひいては利用者の生活課題が解決することにつながります。

　利用者の状態は常に大小の変化をしており、一定ではありません。介護計画を修正することをネガティブにとらえず、介護の質を高めるチャンスだとポジティブにとらえ、質の高い個別ケアに向けてチームで取り組むことが求められます。

　第4節の介護計画にもとづく実施状況を、本節で評価をしている例示が、表2−12です。

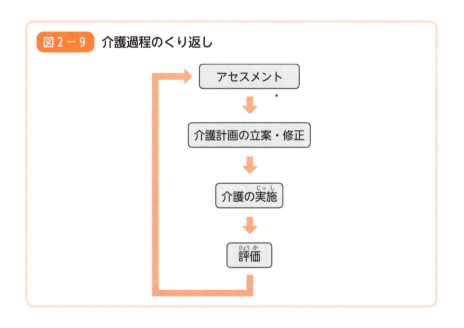

図2−9　介護過程のくり返し

| 表2−12 | 介護の実施・評価表の記入例 |

実施状況	評価
【4週後】 　自室での車いす操作の確認段階では、直進移動の操作について声かけを行いながら反復練習（3mの往復）を実施した。操作方法は理解できているが、直進がむずかしい状況であった。自室での練習には前向きに取り組む様子がみられ、3週経過するころには、ほぼ直進移動ができるようになった。短い距離ではあるが、直進移動ができることに安心感がもてたようであった。 　そのため、自室からトイレまでの移動練習をうながした。廊下にほかの入居者がいると、自室から出ることに抵抗感がみられ練習できないこともあった。4週目に入ったころ、小学生の孫が面会に来て「おじいちゃん、僕といっしょに行こうよ」と声をかけたことをきっかけに、トイレまでの移動（10m）の練習に取り組みはじめた。2日間、午前・午後の練習に取り組んだ。その結果、約3mは直進可能だが、それ以上になると右にそれはじめ、安全な移動にはいたらなかった。Bさん自身からは「左腕が疲れて力が入らない。足の使い方がむずかしい」という言葉が聞かれた。「あせらないで、時間をかけていっしょに練習に取り組んでいきましょう」と、練習に取り組もうとしたことをねぎらい、Bさんの気持ちを支持する言葉かけをした。	自室での車いす操作は安全にできるようになり、短期目標の第1段階は達成できたと評価できる。しかし、入居時から続いている、ほかの入居者に自分の姿を見られたくないという抵抗感があることにより、自室外での練習をうながしてもなかなか受け入れてもらえなかった。このことから、Bさんが片麻痺状態を受け入れることができていないのではないかと推測される。安全な車いす操作ができることも大事だが、Bさんの気持ちをくみとりつつ、あせらずに練習に取り組めるようかかわる必要がある。具体的なかかわり方については、カンファレンス等で検討し、チームで統一したかかわり方ができるよう検討する必要がある。また、Bさんの抵抗感をやわらげる方法の1つとして、大好きな孫の無邪気さを活用することも息子夫婦と相談してもよいのではないか。 　「左腕が疲れて力が入らない。足の使い方がむずかしい」というBさんの言葉から、左上下肢の協調動作が身についていないと考えられる。効率的なからだの使い方や力加減を身につけてもらうために、リハビリテーション参加時に同行し、リハビリテーションスタッフから助言を受け、Bさんおよびスタッフと共有することが求められる。

| 気づいたこと
（新たな課題や可能性） | 　今回の目標では自室での3mの距離から約10mのトイレまでの距離というように、一気に距離を延ばして設定したために無理が生じた。段階をふんだ距離設定が必要であった。
　距離設定の課題と同時に、Bさんの自尊感情を高めることが重要である。自室から出ることに対する抵抗感を少なくすることで、車いすの移動練習にも意欲的に取り組めるのではないか。そのためには、家族の協力をえて、Bさんが父親として、祖父として見守られ、期待されていることを実感しつつ、Bさんらしさを取り戻せるよう支援していくことが必要であると思われる。 |

演習2-7　介護過程における評価の確認

　介護過程における評価に関する次の記述のうち、正しいものに○、間違っているものに×をつけてみよう。

①評価は、介護計画に記載されていた支援内容や支援方法が適切かどうか確認するために行う。
【　　　　】

②介護福祉職は、支援を行う介護チームの実施体制も評価の項目に含めなければならない。
【　　　　】

③評価は、記録類に頼らず、直接的な観察を重視する。
【　　　　】

④画一的な評価をしないように、評価を数値化することなどは、できるだけ避ける。
【　　　　】

⑤評価を文章であらわしにくい場合は、図や絵で示したり、写真を提示することなども有効な方法である。
【　　　　】

⑥介護目標の達成度合いが低いということは、アセスメントで導き出した生活課題が誤りだったことを示している。
【　　　　】

⑦評価の内容によっては、その利用者をもう一度アセスメントすることも大切である。
【　　　　】

⑧評価の結果がよかった場合、介護過程は終了する。
【　　　　】

第 3 章

介護過程の実践的展開

第 1 節　介護過程の実践的展開

第 2 節　「介護過程」展開の実際

第 1 節

介護過程の実践的展開

学習のポイント
- 事例を用いて介護過程を展開する意義・目的を理解する
- 本章で取り上げる事例の概要を理解する

1 本章の目的と構成

　本書ではこれまで第1章で介護過程とは何か、その目的や意義について解説し、第2章で介護過程の展開方法等について、思考過程をイメージできるように、プロセス1つひとつを分解して説明してきました。

　本章では、より実践的に介護福祉の思考過程の学習ができるように、具体的に**情報収集**から始まる**アセスメント**、**介護計画の立案**、**介護の実施**、**評価**まで展開した事例の一連の過程を示します。

　実際に介護過程が展開できるようになるには、関連する知識を覚えたり理解したりするだけでは十分ではありません。この技能を習得するには、一定のトレーニングが必要です。みなさんには、本章の事例を読み進めてもらうことで、事例を展開した介護福祉職の思考過程をていねいにたどることがトレーニングになると考えます。

1 本章で使用する記録様式について

　本章の事例展開の記録様式は、以下の6種類です。

　まず、どのような情報を収集すべきなのか、全体像をとらえるために必要となる項目を設け情報を記入した「フェイスシート」と「情報収集シート」があります。

　次に第2章で説明した「**ICF**（International Classfication of Functioning, Disability and Health：**国際生活機能分類**）モデルを活用した情報の整理表」「アセスメント表」「介護計画書」「実施評価表」

と続く構成となっています。

第2章では、「ICFモデルを活用した情報の整理表」に記入しているところから解説を始めています。

本章では実際の場面のように、たくさんの情報のなかから、事例演習を始めてほしいとの意図から、フェイスシートや情報収集シートを用意しました。

実際の情報収集の際には、本章で使用するシートを活用してもよいですし、ノートなどにメモするなど、形は問いません。

2 ICFモデルを十分に活用する

「ICFモデルを活用した情報の整理表」は、ICFの6つの構成因子、**健康状態（変調または病気）、心身機能・身体構造、活動、参加、環境因子、個人因子**の1つひとつがどういう状況、状態なのかを把握するのみならず、構成因子の関係性を視覚化することで、利用者の生活の全体像を理解することに役立つツールです。ここで重要なことは、情報のうち"どれが""どれと""どのように"関連しているのかをよく考えることです。

3 本章で取り扱う事例について

介護は、生活に支障のあるさまざまな人を対象とし、多くの場において実践されるものです。さまざまな年齢、多岐にわたる障害、生活課題を有する生活者、それらの事例をすべてここで取り上げることは不可能です。

そこで本章では、介護福祉士が対象とする可能性が高い一般的な事例を4つ設定しました。事例の選択にあたっては、介護福祉士養成における実習などで経験しイメージしやすい要素を多く含んでいること、資格取得後も介護福祉士として実践の場で活用されうるものであることなどの観点を重視しています。

また、4つの事例は、事例展開におけるアセスメントの思考過程の学習において、取り組みやすい比較的難易度が低いものや、知識を多く必要とするなど難易度の高いものがあります。

2 事例で学ぶ介護過程の展開

ここでは、4つの**事例の概要**と事例展開で**鍵となっている点**について解説します。

1 事例1「グループホームにおける認知症高齢者の事例」

事例1は、グループホームに入居して6年目のAさん(91歳、女性)が、認知症の進行により、今までできていたことができなくなり、介護を見直さなければならなくなったというものです。

この事例展開のポイントは、今の生活でAさんは具体的に何がむずかしくなり、生活しづらくなっているのか、アセスメントの3つの視点でよく考えることです。同時に、Aさんの望む生活を実現するために、その個性や残されている力(ストレングス、潜在能力など)に着目し、それをどう活用するかが重要です。

2 事例2「脳性麻痺のある男性の事例」

事例2は、誕生以来40年ものあいだ家族による介護を受け自宅で生活していたDさん(43歳、男性)が、障害者施設に入所後、専門家の支援を受けて潜在能力を発揮して新しく生活を構築していくという内容です。

この事例展開のポイントは、生まれてからずっと自宅で家族の介護を受けて生活していたため、参加の機会が非常に少なかったという生活歴から、Dさんの思いや今の生活を想像して考えることが重要なところです。また、40歳代というDさんの発達過程をふまえて介護の方向性を導き出すことが大切です。

3 事例3「在宅における脳血管疾患のある女性の事例」

事例3は、脳卒中の後遺症による片麻痺はあっても、別居の息子の支援を受けながら1人暮らしをしていたHさん(80歳、女性)が、息子の急逝によりうつ状態となって、生活の継続がむずかしくなり、支援が必要になったというものです。

この事例でまず着目すべきポイントは、息子の支援が受けられなくなった状況で、はじめて介護保険サービスを利用して在宅生活を継続しようとしているところです。介護過程の展開者は、訪問介護(ホームヘルプサービス)を実施する介護福祉職としてかかわるため、支援者の一員として、その他の関係者と連携することを想定することが重要となり

ます。

4 事例4「介護老人福祉施設におけるターミナル期の女性の事例」

　事例4は、介護老人福祉施設に入所しているMさん（83歳、女性）が、パーキンソン病と老衰の進行により死にいたる経過にあって、食事摂取量の減少などへの対応が必要になってきたという内容です。そのため、難易度は比較的高い事例です。

　この事例展開の鍵となるのは、「自立の視点」や「快適の視点」「安全の視点」のあいだで何を優先すべきかジレンマが生じ、介護の方向性を導き出すことがむずかしく、本人の意思を尊重しつつ総合的に判断することが必要となるところです。また、近い将来の看取りを見すえ、家族との関係を重視して計画することも重要です。

第2節

「介護過程」展開の実際

> **学習のポイント**
> - 利用者の生活課題を明らかにするまでのアセスメントの過程を追体験する
> - どのような目標を設定し、どのような方法で生活課題を解決しようとしているのか理解する

事例1　グループホームにおける認知症高齢者の事例

●フェイスシート

氏名（性別）	Aさん　女性
生年・月（年齢）	○○年・○月（91歳）
入居年月（何年目か）	○○年・○月（6年目）
入居にいたった理由	10年ほど前にアルツハイマー型認知症を発症してから、しばらくは自宅で介護サービスを受けて暮らしていた。しかし、徘徊中、交通事故にあい入院。退院後は有料老人ホームに入所した。5年前、認知症が進行して有料老人ホームでは対応がむずかしくなったため、24時間見守りのある認知症グループホームへの入居を決めた。
家族	・夫と次男はすでに亡くなっている。 ・長男と長女は、それぞれ結婚し、長男は市外に長女は同市内に在住しており、独立した孫が1人ずついる。
キーパーソン	長女
入居前の生活状況	結婚前より小学校の教員をしており、結婚後も3人の子どもを育てながら定年までの40年間を勤め上げた。定年後は友人を自宅に招き食事をふるまったり、好きな音楽を鑑賞し、歌や踊りを楽しむなど、夫婦で悠々自適の生活をしていた。 しかし、夫が他界した81歳のころ、Aさんの友人より「言動が今までと違い、様子がおかしい」と長女に連絡があり、かかりつけ医と脳神経外科を受診したところ、アルツハイマー型認知症と診断された。 それぞれ週2回の訪問介護と通所介護を利用しながら自宅で1人暮らしを続けていたが、頻繁に自転車で徘徊をくり返し、8年前（83歳）に交通事故にあい入院。退院後、長女の自宅近くの有料老人ホームに入所したが、もの忘れや物事を理解することがむずかしくなり、ほかの入所者とのトラブルが増えた。ま

	た徘徊のため居場所がわからなくなり行方不明となったこともあり、対応が困難になったため退所した。そのころ、申し込みをしていたグループホームより入居できると連絡があったため、5年前（85歳）に入居した。
入居における本人・家族の要望	Aさんの要望：とくに困ったことはないが、美味しいものを食べて楽しく過ごしたい。 家族の要望：有料老人ホームに入所後は、何事にも興味がなくなり、他者との交流も減って食事がすめば部屋にひきこもるようになった。また部屋でもお菓子を食べてはすぐに眠ってしまうことをくり返し、太ってしまった。何をするにも面倒くさがり意欲低下がみられることが心配である。 まだいろいろなことができると思うので、できるだけ迷惑をかけないように役割をもちながらおだやかに生活してほしい。
その他	

● 情報収集シート

1　健康状態、心身機能・身体構造

1	要介護状態区分／障害支援区分	要介護3		
2	認知症高齢者の日常生活自立度	認知症高齢者の日常生活自立度：Ⅲa		
3	障害の状況（身体・知的・精神）	障害高齢者の日常生活自立度：A1		
4	現在のおもな疾患	アルツハイマー型認知症／脂質異常症／便秘		
5	服薬	脂質異常症治療薬、便秘治療薬		
6	既往歴	脳梗塞		
7	平常時のバイタルサイン	体温：35.8〜36.5℃	脈拍：64〜74回／分	血圧：116／82mmHg
8	その他（身長・体重等）	身長：148cm 体重：47.6kg		

2　活動（日常生活の状況）

		現在の状況（本人の思い）
9	家事	そうじや洗濯物たたみ、調理の手伝いなどを積極的に行っているが、少しずつ手順がわからなくなっており、声かけが必要である。 （何でもできるし仕事が好きだから手伝いたいと思っている）
10	移動	1人で介助なく目的場所まで移動するが、方向転換時にふらつきがあるために見守りは必要。また、自分の部屋やトイレの場所がわからなくなり迷って立ち止まってしまうことがある。 （身体は丈夫で歩くことは好きだと思っている）
11	身じたく	更衣はできるが、服の上から服を重ねて着ることが頻繁にあり、そのつど職員が声かけを行い自分で着替えなおす。 （若いときはよく洋服を買っておしゃれをすることは好きだったので、自分に似合った服装をしていると思っている）
12	食事	食事形態は普通食であるが、義歯が合わずかたいものは刻むこともある。食事摂取量は主食が全量で、副食は7割程度である。甘いものや果物が好物で、3時のおやつを楽しみにしている。 （好き嫌いはないから何でも食べることができると思っている）
13	排泄	尿意はあり、日中は1時間おき、夜間は3〜4回洋式トイレにて排泄をしているが、失禁があるために紙パンツを使用している。 （失敗することはないと思っている）
14	入浴・清潔保持	週に4回入浴をしている。シャワーチェアに座り、大まかに自分で身体を洗うことができるが、洗い残しは職員が介助をしている。 （お風呂は気持ちがよいから好き）

15	睡眠	夜間に1～2回トイレに起きてくるが、朝6時ごろまで良眠している。 （寝起きがすっきりしているのでよく眠れたと思っている）
16	コミュニケーション	だれにでも気軽に話しかけるが、同じ話を5～10分おきにくり返して話すことがある。 （もともと話好き、世話好きだったので、みんなでおしゃべりするのが楽しい）

3　参加（豊かさ）

		現在の状況（本人の思い）
17	意欲・生きがい	長女とコンサートや旅行に行くことを何よりも楽しみにしている。 （前向きに物事を考え自分は何でもできると思っている）
18	余暇の過ごし方	テレビが好きでとくに歌番組や宝塚のミュージカルを好む。いっしょに歌ったり踊ったりする。また、折り紙や縫い物など手先が器用で集中して行っている。 （小学校の先生をしていたから音楽や体育は得意）
19	役割（家庭／社会）	そうじや洗濯物たたみ、調理の手伝いなど「やろうか」「手伝おうか」とほかの入居者といっしょに協力をしながら行っている。 （できることは手伝わないと申し訳ないと思っている）
20	その他	

4　環境因子

		現在の状況（本人の思い）
21	生活環境	グループホーム（平屋建て）はバリアフリー構造で手すりが設置してある。居室は個室（12.75㎡）で、部屋にはベッド、たんす、机など本人のなじみの家具が置いてある。トイレや洗面所、風呂は共同である。日中はフロアで過ごすことが多く、入居者や職員との交流が盛んである。グループホームは住宅地のなかにあり、地域住民との交流も盛んである。 （昔からずっとここに住んでいると思っている）
22	生活に必要な用具	日常生活で必要なものはほとんどグループホームで準備されている。 （何でももっているから困ったことはない）
23	経済状況	老齢年金を受給しており、経済的には問題のない生活を送っている。Aさんの資産等は長女が管理をしている。
24	家族関係	長男の面会は1年に1回程度であるが、長女はグループホームから自動車で約10分の所に住み、1週間に1回程度の面会がある。また、いっしょに外出をしたり、1か月に2日くらいは自宅に連れて帰っている。1年に数回はコンサートや旅行に出かけている。家族からは「大切なお母さん」と大事にされている。しかし、外出の約束を忘れることがある。また、長女のことがわからなくなることがある。長女はAさんの認知症の進行で、「イライラしていて、今後の外出に限界を感じている」と話している。 （自宅に帰ることを楽しみにしている。娘が、よくしてくれるから、何の心配もないと思っている）
25	サービス（制度）の利用状況	認知症対応型共同生活介護（グループホーム）を利用している。

| 26 | その他 | 内科往診、歯科往診(毎月1回)、皮膚科往診(3か月に1回)を受けている。(身体は丈夫で病気はしたことがないと思っている) |

5　個人因子

27	価値観・習慣	定年までの40年間、教員として勤め上げたことを何よりも誇りに思っている。「自分は教員だったから」と他人の悪口を言うことも聞くことも嫌う。
28	性格(個性)	おだやかでやさしい。困っている人がいるとアドバイスをしたり手助けをするが、他者からの強い口調などには落ちこむことがある。
29	生活歴・出身地	B県生まれ。戦争のため現在いるC県に疎開し、そのまま結婚した。結婚前より定年まで40年間、小学校教員を勤め3人の子どもを育て上げた。
30	特技	踊りや歌をうたうこと
31	1日の過ごし方	朝6時ごろ起床し、8時までに朝食をすませる。10時のお茶の時間をはさんで職員やほかの利用者といっしょにそうじをしたり洗濯物を干したりする。12時ごろ昼食をとり、15時のおやつの時間まで入浴をしたり、テレビを観たりほかの利用者とゲームをしたり自分のやりたい余暇活動を行っている。17時ごろの夕食をすませると21時ごろの就寝時間まで、テレビや新聞(夕刊)を見たり、洗濯物をたたむなど衣類の片づけや食器の洗い物をしたりと自分のペースで過ごす。
32	その他	

●ICFモデルを活用した情報の整理表

健康状態（変調または病気）
- 80代前半でアルツハイマー型認知症を発症した。認知症高齢者の日常生活自立度：Ⅲa
- 脂質異常症治療薬、便秘症治療薬を服用している。

心身機能・身体構造
- もの忘れがあり物事を理解することがむずかしい。
- だれにでも気軽に話しかけるが、同じ話をくり返して話す。

活動
- そうじや洗濯物たたみ、調理の手伝いなど積極的に行っているが手順がわからなくなることがある。
- 自分の部屋やトイレの場所がわからなくなり、立ち止まることがある。
- 食事形態は普通食。主食は完食、副食は7割程度。
- 義歯が合わずにかたいものは刻むことがある。
- 歩行は1人で介助なく目的の場所まで移動するが、方向転換時にふらつくことがある。

参加
- 長女とコンサートや旅行に行くことを楽しみにしている。
- 日中はフロアで過ごすことが多く、ほかの入居者や職員との交流が盛んである。
- 外出の約束を忘れることがある。
- そうじや洗濯物たたみ、調理の手伝いなどをほかの入居者と協力して行う。
- 洗濯物たたみができなかったり、同じ話を何度もくり返したりすると、ほかの入居者から注意されることがある。

個人因子
- Aさん、女性、91歳、要介護3。
- おだやかでやさしい。
- 他人が困っているとアドバイスをしたり手助けをする。
- 他人の悪口を言うことも聞くことも嫌い、他人からの強い口調などには落ちこむことがある。
- 定年まで小学校の教員をしていたことを誇りに思っている。
- 家族からは「大切なお母さん」と大事にされている。
- 夫と次男が他界している。
- 甘いものや果物が好物である。

環境因子
- グループホームはバリアフリー構造で手すりが設置してある。
- Aさんの部屋は個室で、なじみの家具が置いてある。
- 歯科医に月1回診察を受けているが、最近調整がむずかしい。
- 現在は介護保険サービスを利用し、グループホームに入居している。
- 長女の自宅とグループホームが近く、1週間に1回程度の面会がある。
- 長男が市外にいるが、1年に1回程度の面会がある。
- 長女のことがわからなくなることがある。
- Aさんの認知症の進行で、長女はイライラしていて、今後の外出に限界を感じていると話している。

●アセスメント表

利用者の生活像（個人因子）	アセスメント関連番号	情報の解釈・関連づけ・統合化	予測される生活課題
1 人生のどの時期にあって（個人因子） ①Aさん、女性、91歳、要介護3。 ②おだやかでやさしい。 ③他人が困っているとアドバイスをしたり手助けをする。 ④他人の悪口を言うことも聞くことも嫌い。他人からの強い口調などには落ちこむことがある。 ⑤定年まで小学校の教員をしていたことを誇りに思っている。 ⑥家族からは「大切なお母さん」と大事にされている。 ⑦夫と次男が他界している。	①⑧⑨⑩⑬ ⑭ ②③④⑤⑨ ⑫⑬㉓㉔ ㉖	◎ 自立の視点 認知症で、遂行機能障害があり、理解・判断力も低下しているため、自分ではできると思い家事などに積極的に参加しているのではないだろうか。何事にも意欲的ではあるが、できなかったことにより情けなさや不安な気持ちになることがあるので、できることが維持できるように支援していく必要がある。 ◎ 快適の視点 定年まで小学校の教員をしていたせいか、やわらかでやさしい性格から、人にアドバイスをしたり、手助けをすることを得意としている。また、日中はフロアでほかの入居者と楽しそうに交流している。 しかし、もの忘れのせいで同じ話を何度もくり返し、それを周囲の入居者に指摘されることがある。洗濯物たたみなども積極的に行うが、手順がわからないことで注意を受けることがある。その際ほかの入居者とでしまうことがある。このようなことが続けば、今後、ほかの入居者との交流が減少して、意欲も低下するおそれがあるのではないか。	◎ 自立の視点 これまでできていた家事などができなくなることで自信を喪失して意欲低下が起こる可能性がある。 ◎ 快適の視点 ほかの入居者との交流の機会が減少することで、意欲低下につながる可能性がある。
2 どのような心身の状態で（健康状態、心身機能・身体構造） ⑧80代前半でアルツハイマー型認知症を発症した。 ⑨認知症高齢者の日常生活自立度：Ⅲa ⑩脂質異常症、便秘治療薬を服用している。 ⑪もの忘れがあり物事を理解することがむずかしい。 ⑫だれにでも気軽に話しかけるが、同じ話をくり返して話す。	⑥⑦⑱⑲ ⑳㉑	夫と次男が他界して、存命の長女を頼りにしているようである。以前より家族からは「大切なお母さん」と大事にされており、Aさんも家族との交流をこころのよりどころようとしている。とくに、長女とコンサートや旅行に行くことを楽しみにしている。しかし、自分で身じたくができなかったり、外出の約束を忘れることや長女のことがわからなくなることもある。これらのことで長女はイライラしているようであり、長女は、Aさんといっしょに外出することが、そろそろ限界だと思いはじめているようである。	Aさんは長女との外出を楽しみにしているが、Aさんは約束の時間を忘れることも多くなってきた。そのため長女は、外出に限界を感じはじめている。
3 どのように生活している人なのか（活動、参加、環境因子） ⑬そうじや洗濯物たたみ、調理の手伝いなどは積極的に行っているが手順がわからなくなる。			

100

一方で家族は定期的な面会をしてくれており、そうした機会を利用して、家族との交流が維持できるような支援をしていく必要があるのではないか。

項目	情報の解釈・関連づけ	◎ 安全の視点
⑭㉒㉕	◎ 安全の視点 歩行は1人でできるが、方向転換をするときにふらつきがみられる。また、部屋やトイレの場所がわからなくなり立ち止まってしまう様子がみられるため、安全に移動できるように工夫をする必要があると考えられる。	転倒するリスクを軽減し、安全に移動できるように支援する必要がある。場所がわからなくなり迷ってしまうことがあるため、支援が必要である。
⑮⑯⑰㉗	◎ 安全の視点 義歯が合わずにかたいものが食べにくく刻んでいる。歯科医より1か月に1回診察を受けているが調整がずかしいようである。主食は全量摂取できるが副食が7割程度しか食べられないので栄養状態が心配である。また、甘いものや果物は好物でよく食べるが食べる物がかたよるおそれがある。	義歯が合わずに、食べる物にかたよりが出て栄養状態が悪化する可能性がある。

⑭自分の部屋やトイレの場所がわからなくなり、立ち止まることがある。
⑮食事形態は普通食。主食は完食、副食は7割程度。
⑯義歯が合わずにかたいものは苦労むことがある。
⑰甘いものや果物が好物である。
⑱長女とコンサートや旅行に行くことを楽しみにしている。
⑲長女のことがわからなくなることがある。
⑳Aさんの認知症の進行で、長女はイライラしている。今後の外出に限界を感じていると話している。
㉑外出の約束を忘れることがある。
㉒歩行は1人で介助なく目的場所まで移動するが、方向転換時にふらつくことがある。
㉓そうじや洗濯物たたみ、調理の手伝いなどほかの入居者と協力して行う。
㉔洗濯物たたみができなかったり、同じ話を何度もくり返したりすると、ほかの入居者から注意されることがある。
㉕グループホームはバリアフリー構造で手すりが設置してある。
㉖日中はフロアで過ごすことが多く、ほかの入居者や職員との交流が盛んである。
㉗歯科医に月1回診察を受けているが、最近調整がむずかしい。

● 介護計画書

長期目標 (期間：6か月)	グループホームでほかの入居者や職員とコミュニケーションをはかり、不安のない安心できる生活を送れる。家族との良好な関係が継続できる。			
課題	短期目標	(期間)	具体的な支援内容・方法 (内容) (方法)	頻度
①これまでできていた家事などができなくなることで自信を喪失して意欲低下が起こる可能性がある。	①サポートを受けながら、できることは自分でやる。	3か月	・できていること、できていないことを見きわめ、それにともなうAさんの意欲や負担を確認する。 ・できないことに関する支援を行う。	・形状が複雑な衣類はAさんの横に職員がいっしょにたたむ。 ・１人でたためるタオルやハンカチなどは見守る。 ・調理の際、包丁を使って野菜の皮をむくことはできないので、ピーラーを使って皮をむく手伝いをしたり、もやしのひげ取りなどを手で行えることを支援する。	
②ほかの入居者との交流の機会が減少することで、意欲低下につながる可能性がある。	②ほかの入居者との交流の機会を増やし、意欲的な生活ができる。	3か月	・ほかの入居者との交流の場面をもち、安心してその場にいられるような雰囲気をつくる。 ・気分の落ちこみの原因を見きわめ、気分転換がはかれるようにはたらきかける。	・Aさんにやってみたいレクリエーションを選んでもらう。 ・Aさんの選んだレクリエーションを行う。 ・入居者や職員みんなで楽しい気持ちになれるような雰囲気をつくる。 ・Aさんとゆっくり話せる環境を整える。 ・Aさんの思いを聞き、気持ちに寄り添う。	
③Aさんは長女との外出を楽しみにしているが、Aさんは約束の時間を忘れることも多くなってきた。そのため長女は、外出に限界を感じはじめている。	③家族との交流が維持できる。	1か月	・家族がより交流できるようにはたらきかける。 ・長女と外出ができるように支援する。	・外出の準備を、長女といっしょにする。 ・外出後の体調の把握をする。 ・家族との面会時に、ゆっくり過ごせるように環境を整える。 ・長女以外の家族の面会を増やしてもらうようにはたらきかける。 ・長女の面会時にAさんの外出時の不安を聞く。	

ニーズ	目標	期間		具体的な支援内容
④転倒するリスクを軽減し、安全に移動できるように支援する必要がある。	④転倒なく歩行できる。	3か月	・歩行状態を安定させ、転倒を防ぐ。	・体操や散歩などで下肢筋力を低下させないようにする。 ・歩行が不安定なときは、さりげなくいっしょに歩く。 ・履物をすべりにくいものに変える。
⑤場所がわからなくなり迷ってしまうことがあるため、支援が必要である。	⑤迷わずに安心して目的地まで行ける。	1か月	・目的地まで迷わずに行けるように工夫する。	・トイレや部屋に目印になるものを用意する。 ・迷っているときには、そばに行っていっしょに歩く。
⑥義歯が合わずに、食べる物にかたよりが出て栄養状態が悪化する可能性がある。	⑥義歯の調整を行い、栄養状態を改善できる。	3か月	・歯科医の診察の調整をする。 ・栄養状態の改善をする。 ・調理方法を工夫する。	・義歯の調整のための診察を受けることができるように手配をする。 ・栄養バランスについて栄養士に相談する。 ・Aさんに、どのような物が食べにくいか、食べやすいかを確認する。 ・調理を圧力鍋等を使い刻まなくても食べやすい方法で行う。

● 実施評価表

実施状況	評価
・サポートを受けながら、できることは自分でやる。 洗濯物をたたむ際には、まずタオルやハンカチなど単純なものを手渡し、1人でたたんでもらうことを支援した。また、衣類も横で同じものをたたみながら「むずかしいですね」「ここやってみようかな」などと声をかけながらたたんだ。Aさんは折り紙が得意だったこともあり、タオルやハンカチは角と角をあわせて上手にたたむことができた。また、衣類については、職員の手元をまねながらたたんでいたが、なかなかむずかしかった様子で途中で手が止まってしまうこともあった。また、調理の際はむずかしくても丁を使わなくてもピーラーや手でできることを説明したところ、「やってみようかね」「便利なものがあるね」と喜んで調理に参加をすることができた。 皮むきをした野菜を使い料理として仕上がったときに、とてもうれしそうな様子であった。	衣類たたみは毎日くり返すことにより、徐々に手順がわかってできるようになった。まだ、苦手な衣類もあるようだが、いっしょにおこなうことにより少しずつ要領がわかってきたようで、自分で工夫をしながらたたみ終える意欲がみられるようになった。 調理についても、できることをやってもらうことで意欲的に取り組めるようになった。 Aさんの自分にはまだまだたくさんのことができる、もっと人の役に立ちたい、といった思いに寄り添いAさんの能力に応じた支援をおこなうことにより「できる力」の維持につながったのではないかと考えられる。
・ほかの入居者との交流の機会を増やし、意欲的な生活ができる。 レクリエーションの場で、Aさんといっしょに歌ったり踊ったりして楽しむ場面をつくったところ、Aさんはとても楽しそうに上手にできたことで、ほかの入居者から「すごいね」「もっと歌って」と声をかけられ、とてもうれしそうな表情がみられた。また、唱歌や民謡などで忘れていた歌もどんどん思い出し、みんなで歌いながら手拍子をして昔話に花が咲いていった。	小学校の教員として子どもたちといっしょに歌ったり踊ったりして楽しかったころを回想して意欲が活性化されたのではないだろうか。また、ほかの入居者と共通の楽しみがあったことを理解し、Aさんが得意とする「困った人にアドバイスをしたり手助けをしたりする」といったことが受け入れられたことにより、落ち着きを取り戻し、楽しい気持ちになれたようにも考えられる。
・家族との交流が維持できる。 長女との外出の際、長女が身じたくをするようにうながすと、Aさんはどうしていいのかわからない様子で、「面倒くさい」「行きたくない」といい、長女はこれに対してイライラした様子であった。そこで、身じたくを手伝いながら、Aさんに今日はこれから長女と、どこに、何をしにいくのかを具体的に説明した。また、「長女さんといっしょにお買い物に行くのは楽しみですね」「おいしいものを召し上がってくださいね」と外出に対する意欲へはたらきかけをした。Aさんは、安心した様子で楽しそうに長女と出かけて行った。また、帰宅後の体調もよく、疲れもないようだった。	Aさんは今からだれとどこに出かけるのかを理解して外出することにより不安な気持ちを軽減することができて、帰宅後の体調や疲れ具合にもよい結果が出ることがわかった。しかし、説明が長くなったりわかりにくい話し方をすると、Aさんは途中で話の内容を忘れてしまったり、急に不機嫌になることもあった。また、長女にとっても、Aさんの言動を受け入れることがむずかしく、いっしょに外出することをよくが、気持ちをよく外出することができ、帰宅後も体調の軽減がよく長女に対して感謝の言葉をくり返し聞かれたことから長女も安心した表情がみられた。

第3章 介護過程の実践的展開

第2節 「介護過程」展開の実際

後日、長女との面会時に、長男もAさんの認知症がひどくなっていることにショックを受けているが、昔のままのおだやかでやさしいAさんの姿だ。「また来るからね」と面会の回数が増やせるように協力していただけることになった。さらに家族との交流が維持できるようにサポートしていく必要があるだろう。

長女と2人で外出することへの不安など、胸の内を傾聴した。長女以外の家族にも面会に来てもらうようにはたらきかけ、長男家族が市内外から面会があった。Aさんは最初はだれが来たかわからなかったようであったが、1年ぶりに面会に思い出し、部屋でゆっくりと時間を過ごすことができた。

・転倒なく歩行できる。

身体を動かす機会がだんだん減っていたために、Aさんの体力にあった体操を考え、高齢者向けの体操のDVDで民謡からできているものを選び、座った状態で体操をした。座った状態で安定してできるので、次は立った姿勢で体操を行った。
最初は張り切っていたが、だんだん疲れが出てきたのか座りこんでしまうこともあった。
また、屋外での散歩も計画したが交通量が多いために、グループホーム内の廊下をゆっくりと歩いてもらうことにした。廊下には手すりもついており、いつも生活している見慣れた場所であるためAさんが安心して歩くことができた。
また、グループホームではスリッパを履いているために、すべりにくい履物を家族といっしょに外出し購入してもらった。

Aさんは、体操はDVDと同じに動きはできなかったが、大好きな民謡を口ずさみながら楽しそうに取り組めたことにより満足したようであった。しかし、疲れのためか廊下をむくこともあり疲れ具合や体調に配慮する必要があった。Aさんの意欲は高められるように、少しずつ無理なく行える体操や散歩を増やせるようにしたいと考える。
履物はAさんの足にあわせて購入したので「これは歩きやすいね。転ばないで歩ける」と安心につながったようだ。

・迷わずに安心して目的地まで行ける。

トイレには、大きな字で「便所・トイレ」と紙を貼り、風呂場には温泉マークのポスターを貼り、Aさんの部屋には、Aさんの好きな猫のポスターを貼って、ここがAさんの部屋ということを印象づけた。その結果、目で確認をしながら目的地まで行くことができ、迷うことが少なくなった。

Aさんは、目印になるものがあると安心感が生まれるようで、不安なく目的地まで移動することができた。
Aさんも自信がついたから意欲的に活動されるようになり、よい結果が得られたと考える。

・義歯の調整を行い、栄養状態を改善できる。

歯科医に義歯が合わず食事をとることがむずかしくなっているという状態を説明し、診察してもらうようにAさんに日程の調整をした。診察の結果、現在使用している義歯では調整がむずかしく、新しくつくってくることをAさんに提案し伝えたところ「入れ歯がなくても、ご飯は食べられるから大丈夫」と言って同意にいたっていない。家族の協力もえて、再度診てもらうこととした。

義歯の作成にはいたらなかった。家族の協力もえて診察を継続していく必要がある。家族の話から「入れ歯は高いものだからつくりかえなくてもよい」という経済面の心配をしていることがわかった。義歯は保険が使える、お金の心配はしなくても大丈夫ということと家族の思いを伝えてもらうことにいったん保留となったが、検討を要すると考える。

栄養状態の観察については、保健所から栄養士を派遣してもらい、実際の食事をみてもらって、献立自体はバランスがとれているので食事内容はこのままでよい、調理方法に工夫をして食材の味をいかし、盛りつけなどにも工夫したらよいとアドバイスをもらった。また、食材をより食べやすく調理するために圧力鍋を使って調理したところ、Aさんは「おいしいね。味がよくしみている」と今まで残していた根菜類も全部食べることができた。

栄養士からアドバイスをもらえ、連携ができ、介護福祉職だけでは実現のむずかしかったであろう支援までをすることができた。

圧力鍋を使うことにより食べやすく調理できたので、ほかにも工夫することがあるかが検討していく必要がある。

気づいたこと
（新たな課題や可能性）

今まででできていた家事などの手順がわからなくなったり、もの忘れが進んでいたり、Aさんらしく何となくおかしいと不安に感じていたようで、人からいろいろと言われたり、できないことを指摘されることを情けなく思って落ちこむこともあった。
しかし、レクリエーションなどで得意な歌や踊りを披露することにより自信の回復につながり、意欲も活性化されよい結果につながった。今後も職員間で情報を見きわめていくことをかけがえのないものなので、その良好な関係が維持できるようにサポートしていく必要性を痛感した。

上記の意欲維持のためには、まずは身体の健康が大事である。そのため、歩行状態の不安定さや義歯が合わないなど身体の不調が意欲の低下につながらないように支援していくことが重要であり、Aさんが安心してAさんらしく暮らしていけるように寄り添っていきたい。

認知症が急に進行していることが考えられた。

事例2　脳性麻痺のある男性の事例

●フェイスシート

氏名（性別）	Dさん　男性
生年・月（年齢）	○○年・○月（43歳）
入所年月（何年目か）	○○年・○月（3年目）
入所にいたった理由	自宅で母の介護を受け、生活していた。入所する2年前に母が病気で亡くなり、その後は姉の介護を受け、自宅で生活していた。入所する半年前に姉の夫が脳梗塞で倒れ、介護が必要となった。姉の負担を考え、施設入所となった。
家族	Dさんの姉、姉の夫、姉の娘・息子
キーパーソン	姉
入所前の生活状況	出生時新生児仮死、黄疸軽度であった。生後6か月のとき「脳性麻痺」と診断を受けた。 母親はDさんを自宅で育てた。義務教育を受けておらず、文字や算数などは母親から教わった。小さいころは母親がDさんをかかえて外出できたが、身体が大きくなってからは外出する機会が減った。Dさんが30歳のころから、母親の介護負担を考え、車で2時間程度の場所にある障害者支援施設のショートステイを年に1～2回程度利用していた。 施設入所まで、このような生活を送っていたため、身体が大きくなってからは自宅から出たことがほとんどなく、専門職の支援を受ける機会も少ない生活であった。また、自宅で過ごす姿勢は臥位であった。 Dさんが過ごしていた地域は海に囲まれており、漁業が盛んな町である。いつも新鮮な魚介類を食べて育った。地元に愛着がある。
入所における本人・家族の要望	Dさんの要望：地元や家族が好きで、自宅で生活することを望んでいるが、姉の負担を考え、施設入所を選択した。そのため、離れていても家族とのつながりを感じながら、絵画や音楽鑑賞、文章作成などの趣味を楽しみ、施設で生活したい。 姉の要望：施設で自分の趣味を楽しみながら、元気に生活してほしい。
その他	施設に入所してから、理学療法士のリハビリテーションや助言、介護福祉職の支援のもと、工夫すれば座位姿勢がとれることがわかった。そのため、入所から約1年後、車いすを利用できるようになり、日中は座位姿勢で過ごすようになった。また、左足を使って何かをつかむ、ある程度動かせることから、電動車いすの操作（入所から約2年後～）や専用マウスを使ってパソコンの操作、筆を持って絵を描くなど（入所から約2年半後～）、行動範囲や趣味の幅が広がった。

● 情報収集シート

1　健康状態、心身機能・身体構造

1	要介護状態区分／障害支援区分	障害支援区分：6			
2	認知症高齢者の日常生活自立度	―			
3	障害の状況（身体・知的・精神）	身体障害者手帳1級（両上下肢麻痺、体幹機能障害）			
4	現在のおもな疾患	脳性麻痺			
5	服薬	便秘傾向にあり、毎夕食後緩下剤を服用			
6	既往歴	なし			
7	平常時のバイタルサイン	体温：36.5℃	脈拍：60～70回／分	呼吸：15～20回／分	血圧：128／62mmHg
8	その他（身長・体重等）	身長は測定困難だが170cm程度　体重：63kg			

2　活動（日常生活の状況）

		現在の状況（本人の思い）
9	家事	身体状態から家事は困難である。足を使ってできる環境であっても、ある程度動かせるのが左足のみであり、細かな動きはむずかしいため、家事全般を行うことは困難である。
10	移動	電動車いすを左足で操作し、移動できる。細かな動きがむずかしいため、時々何かにぶつかることがある。 車いすへの移乗はリフトを用いて全介助。ベッド上での移動は、左足を使って少しであれば移動することができる。両上下肢の麻痺だけでなく、不随意運動があるため、思いどおりに動くことは困難である。左足も細かい動きは困難である。 （施設に入ってリハビリテーションをがんばり、車いすに乗れるようになった。自由に移動できるようになったので、今まで以上にさまざまなことにチャレンジしたい）
11	身じたく	身だしなみや着脱は全介助が必要。おしゃれに興味があり、何を着るかはこだわりがある。不随意運動のため摩擦で傷などができる可能性があり、ボタンなどの突起物がない服、夏でも長袖を選び着ている。もっている服はほとんどかぶるタイプの服である。外出などの際は、機能よりおしゃれを優先したデザインのものを着ることもある。また、体感温度が高いが、身を守るため夏でも長袖を着ており、夏場はエアコンなどで温度や湿度の調節が必要である。一方、不随意運動や筋肉の緊張のため、冬でも薄着である。左足を用いて車いすを操作するため、冬でも靴下ははかない。 （おしゃれは好きなので、もっとおしゃれをしてみたい）

12	食事	不随意運動のためスムーズな咀嚼をすることがむずかしいが、少し時間がかかるものの、おおむね常食を食べている。食べ物をかみ切ることはできるが、一口サイズに切ってから、口へ運んだほうが食べやすい。食事は全介助。不随意運動のせいでスプーンをかんでしまうことがあるため、シリコンスプーンを使用している。水分はチューブ式のDさん専用ストローを用いて飲む。 （小さいころから新鮮な魚を食べていたため、施設で提供される魚料理はあまりおいしくないと感じている。たまに地元の新鮮な魚が食べたくなる。施設に入所して外出する機会があるため、外食も楽しみたい）
13	排泄	自宅ではおむつを使用し排泄していた。尿意・便意はある。施設入所後、日中は座敷トイレを使用するようになったが、夜間はおむつを使用している。夜間に排尿があるので、おむつを交換するが、眠ったまま気づかないほど熟睡している。おむつにより夏場は鼠径部にかぶれが生じることがある。 （施設で座敷トイレを使用し、日中は快適に過ごすことができている）
14	入浴・清潔保持	入浴は週3回一般浴槽にて入浴している。身体状況から機械浴を用い臥位での入浴が適しているが、不随意運動のため、浴槽に上肢が収まらない。そのため、リフトを用いて浴槽へ移動し、介護者が支えて浴槽に浸かっている。 （大きいお風呂に浸かることができ、とても快適である。汗かきなので夏場だけでも毎日入ることができたらもっとうれしい）
15	睡眠	23時ごろまでテレビを見るなどして過ごし、23時にベッドに入っている。ベッドに入ってから入眠までの時間は早く、その後も6時半ごろまで熟睡している。 （よく眠れている）
16	コミュニケーション	脳性麻痺による構音障害があり、伝わりにくい言葉はあるが、日常生活において困ることはない。 （聞き慣れていない人に伝わらないことや、伝わりにくい言葉はあるが、とくに困っていない）

3 参加（豊かさ）

		現在の状況（本人の思い）
17	意欲・生きがい	何にでも意欲的に取り組み、趣味を楽しんでいる。地元や家族が大好きで大切にしている。 施設に入所し、移動手段が電動車いすになったことから、行動範囲や趣味活動の幅が広がった。 （施設に入所してから自分にとっての青春がきた。これからもさまざまなことにチャレンジしたい）
18	余暇の過ごし方	左足でパソコンを操作し、自分史の作成、俳句や詩の作成、絵を描くなどの創作活動に意欲がある。また、音楽鑑賞も好きで、アーティストのライブに行くことを楽しみにしている。 （施設に入所し、さまざまなことを経験した。もっといろんなところに行ってみたい）

19	役割（家庭／社会）	俳句を新聞に投稿している。自分の思いや生い立ちなどを詩や自分史として作成し、自費出版し公表している。 （大好きな姉のためにも、亡くなった母親のためにも俳句などの文章作成を通して自分の思いをあらわしたい。俳句の投稿、自分史の作成や公表を通して、家族への感謝の思いや、自分の存在意義を示したい）
20	その他	義務教育を受けていないが、母親が家庭内で教育していた。

4　環境因子

		現在の状況（本人の思い）
21	生活環境	居室は2人部屋で、ベッドを使用している。居室にはテレビやミニコンポ、パソコンがある。好きなアーティストのポスターや旅行での記念写真などを飾っている。 （改善はむずかしいと思うが居室がせまいため、同室者に気をつかう。本当は好きな時間に音楽鑑賞やパソコンを利用したい）
22	生活に必要な用具	電動車いす、リフト、趣味を楽しむための筆やパソコンなどの道具、シリコンスプーン、チューブ式ストローなど
23	経済状況	障害基礎年金1級を受給しており、年間約100万円（月換算で約8万円）の収入がある。経済的にあまりゆとりはない。 （もう少し金銭的余裕があれば、もっと趣味にお金を費やすことができる）
24	家族関係	両親はDさんが5歳のときに離婚した。その後、父親は他界した。母親はDさんが施設に入所する2年前に他界した。2人きょうだいで、姉は結婚し、2人の子（娘、息子）をもうけている。県内に住んでいるが、車で3時間近くかかる。姉は夫の介護をしており、なかなか面会にこられない。 （年に2～3回は姉に会いたいが、夫の介護や距離の問題でむずかしい。姉のことを考えるとむずかしいことはわかっているが、たまには帰省したい）
25	サービス（制度）の利用状況	施設入所まで自宅で生活していた。施設入所の10年前ごろから、障害者支援施設のショートステイを年に1～2回程度利用していた。
26	その他	食事の際となりの席であるEさん、デイサービス利用者のFさんという2人の友人がいる。文芸部のメンバーとは共に自分史を作成している。 （Eさん、Fさんという友人ができ、いろいろな話ができる大切な存在である。これからもよい関係でいてほしい。文芸部のメンバーは共に自分史を作成している仲間として刺激になる存在）

5　個人因子

27	価値観・習慣	義務教育を受けていないことを少し気にしている。そのため、自分史や俳句、詩の作成を熱心に取り組んでいる。
28	性格（個性）	明るく社交的。友人や信頼している職員には、はっきりと自分の意見を主張する。一方で、他者から指摘されるととても落ちこむなど繊細さをもちあわせている。
29	生活歴・出身地	G県出身。漁業を営む両親のもと、第2子（長男）として生まれる。就学の経験がない。施設入所まで自宅で生活していた。

30	特技	俳句は新聞に投稿し、入選したことがある。文芸部に所属し、講師の先生やメンバーとともに意欲的に活動している。また、絵を描くことも得意で、施設の廊下に飾っている。日中活動の絵画教室には必ず参加し、専門家の指導を受けている。
31	1日の過ごし方	おおむね6時半ごろ起床し、着替えや整容を行い、食堂で朝食をとる。午前中はリハビリテーションや、友人と話したり、音楽を聴いたりして過ごしている。昼食をとり、午後は入浴や居室にて趣味活動をして過ごす。好きな時間におやつを食べたり、昼寝をすることもある。夕食後は居室でテレビを見て過ごすことが多い。毎週土曜日の19時から行われる居酒屋（施設内で開催）に友人のEさんと共に参加し、談笑するのを楽しみにしている。月1回行われる文芸部、絵画教室のほか、興味のある日中活動があれば参加している。
32	その他	月1回の外出では、映画鑑賞や買い物、外食などを楽しんでいる。1泊2日の旅行や施設の行事、イベント外出など、興味のあるものは参加して楽しんでいる。

● ICFモデルを活用した情報の整理表

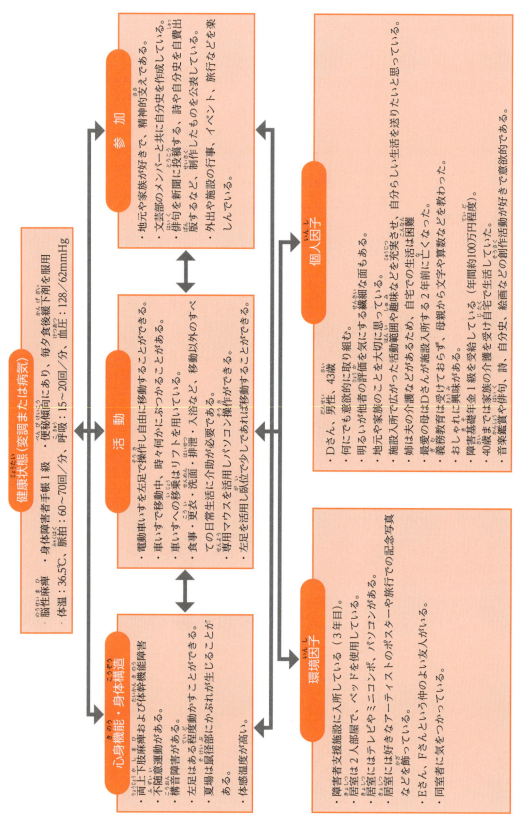

第2節 「介護過程」展開の実際

●アセスメント表

利用者の生活像	アセスメント関連番号	情報の解釈・関連づけ・統合化	予測される生活課題
1 人生のどの時期にあって（個人因子） ①Dさん、男性、43歳 ②何にでも意欲的に取り組む。 ③明るいが他者の評価を気にする繊細な面もある。 ④地元や家族のことを大切に思っている。 ⑤施設入所で広がった活動範囲や趣味などを充実させ、自分らしい生活を送りたいと思っている。 ⑥姉は夫の介護などがあるため、自宅での生活は困難になっている。 ⑦最愛の母はDさんが施設入所する2年前に亡くなった。 ⑧義務教育は受けておらず、母親から文字や算数などを教わった。 ⑨おしゃれに興味がある。 ⑩障害基礎年金1級を受給している（年間約100万円程度）。 ⑪40歳までは家族の介護を受け自宅で生活していた。 ⑫音楽鑑賞や俳句、詩、自分史、絵画などの創作活動が好きで意欲的である。	①②④⑤⑨ ⑩⑪⑫⑳㉓ ㉗㉙㉚㉛	◎ **自立の視点** Dさんは、入所後何にでも意欲的に取り組んでおり、活動範囲を広げている。43歳という年齢から将来的には、家族や地元から離れるような場所で、1人暮らしをすることを検討してはどうか。そのためには、趣味や特技をいかした就労について模索することで、よりDさんの自立心を高めることにつながるのではないか。	◎ **自立の視点** Dさんは、より自分らしい生活を望んでいる。今後は、1人暮らしも視野に入れ、絵画などのデザイン力を活用した就労の可能性について模索する必要がある。
	②③⑤⑨⑱ ㉑㉒㊳	尿意・便意はある。しかし、小さいころからおむつによる排泄方法だったためか、夜間は尿意・便意の訴えはなく熟睡しており、おむつを使用している。熟睡していることや本人からの訴えがないため、夜間おむつを使用することに関しては改善したい思いはほとんどない。 しかし、夏場におむつかぶれがあることや、体感温度が高くきやすいことから、それらに対する対応策が必要ではないか。	◎ **快適の視点** 夏場におむつかぶれがあること、汗をかきやすいことから、皮膚の清潔保持に関する改善が必要である。
2 どのような心身の状態で（健康状態、心身機能・身体構造） ⑬脳性麻痺 ⑭身体障害者手帳1級 ⑮便秘傾向にあり、毎夕食後緩下剤を服用 ⑯体温：36.5℃、脈拍：60～70回/分、呼吸：15～20回/分、血圧：128/62mmHg	②③④⑤⑥ ⑦⑩⑫⑳㉓ ㉖㉗㉘㉙㉚ ㉛㉟	愛着のある地元で大好きな家族と暮らしたいと思っているが、姉にも生活があるため、それがむずかしいことはわかっている。一方で、車いすで自由に動けるようになり、絵画や詩の作成など自分の特技をいかし趣味を楽しむことができるようになる施設生活を満足している一面もある。今後は家族とのつながりを感じながら、自分の可能性を広げたいと思っているのではないか。	◎ **快適の視点** 現在、施設での生活に満足しつつも、地元や家族とのつながりの継続を求めている。現在の生活のなかであっても日常的につながりを感じられるような機会を提供する必要がある。
	②④⑤⑦⑧ ⑨⑪⑫⑳㉓ ㉗㉘㉙㉛	趣味である俳句や詩、自分史、絵画の作成を楽しみ、完成したものを新聞へ投稿するなど、自分の作品を公表している。自宅で生活していたときにはできなかったことができるようになり、自分らしさを表現できていると感じている。	Dさんは、自分らしさを表現できることに喜びを生きがい を感じている。継続してより

項目	番号	内容・分析
	㉜㉞㉟㊲	きることに喜びや生きがいを感じている。また、義務教育は受けていないが、母親から教わったことをもとに、さまざまなことにチャレンジし、作品の公表を通して自分の存在意義を示しているのではないか。よりよい作品をつくること、さまざまな場所での公表など、具体的な目標を設定してそれをめざすことで、自己実現につながるのではないか。 ◎安全の視点 よい作品を創作し、公表できるようにしていく必要がある。
⑰両上下肢麻痺および体幹機能障害 ⑱不随意運動がある。 ⑲構音障害がある。 ⑳左右足はある程度動かすことができる。 ㉑夏場は頭径部にかぶれが生じることがある。 ㉒体感温度が高い。 **3 どのように生活しているのか（活動、参加、環境因子）** ㉓電動車いすを左右足で操作し自由に移動することができる。 ㉔車いすで移動中、時々何かにぶつかっている。 ㉕車いすへの移乗はリフトを用いている。 ㉖食事・更衣・洗面・入浴・排泄など、移動以外のすべての日常生活に介助が必要である。 ㉗専用マウスを活用しパソコン操作が可能である。 ㉘左右足を活用し臥位で少しであれば移動することができる。 ㉙地元や家族が好きで、精神的支えである。 ㉚俳句を新聞に投稿する、詩や自分史を自費出版するなど、制作したものを公表している。 ㉛外出し施設の行事、イベント、旅行など楽しんでいる。 ㉜障害者支援施設に入所している（3年目）。 ㉝居室は2人部屋で、ベッドを使用している。 ㉞居室にはテレビやミニコンポ、パソコンがある。 ㉟居室には好きなアーティストのポスターや旅行での記念写真などを飾っている。 ㊱Eさん、Fさんという仲のよい友人がいる。 ㊲文芸部のメンバーと共に自分史を作成している。 ㊳同室者に気をつかっている。	③⑤⑰⑱⑳ ㉓㉔㉜㊳	車いすでの移動中、時々何かにぶつかることがある。この背景には、車いす操作に慣れていないこと、不随意運動があるためと思われる。このままではDさんがけがをするだけでなく、ほかの利用者にぶつかった際にトラブルとなる可能性もある。車いすの操作に慣れて、より安全に移動できるよう支援する必要があるのではないか。 ◎安全の視点 何かにぶつかることなく、より安全に車いすで移動する必要がある。

第2節 「介護過程」展開の実際

●介護計画書

長期目標 (期間：6か月)	家族とのつながりを感じながら、趣味をいかし充実した日々を過ごすことができる。そのなかで、将来どのように過ごしていくのか、具体的なイメージを抱くことができる。			
課題	短期目標	(期間)	具体的な支援内容・方法 (内容) / (方法)	頻度
現在、施設での生活に満足しつつも、地元や家族とのつながりの継続を求めている。現在の生活のなかであっても日常的につながりを感じられるような機会を提供する必要がある。	家族への思いを伝え、家族からの思いも本人に伝わることを感じることができる。	1か月	家族への思いをあらためてうかがい、どのような方法で伝えるかいっしょに考える。／居室にて、家族との思い出や家族に対してDさんのようにパソコンを活用し文書やDさんの思いを聞くに手紙を書いてみるようにすすめる。	日中活動に参加しない日の午後を利用し週2回程度
	地元へ日帰り帰省する計画を立てる。	2か月	外出の機会を利用し、地元へ日帰り帰省することを提案し、計画を立てる。／気候やDさんの体調、家族の状況を確認し、どの時期に日帰り帰省できるか、本人と相談し計画を立てる。	
夏場におむつかぶれがあることや、汗をかきやすいことから、皮膚の清潔保持に関する改善が必要である。	おむつかぶれによる皮膚のかゆみが減少する。	2か月	皮膚のかゆみや不快感を確認し、清拭を行うことで皮膚のかゆみの軽減をめざす。／おむつかぶれや汗をかくことについて、不快に思っていることや程度を確認する。入浴がない日の就寝前、寝衣に着替える際に清拭を行うことを提案し、同意を得て実施する。本人に不快の程度を確認し、皮膚の観察を行う。	入浴がない日の就寝前 (週4日)
何かにぶつかることなく、より安全に車いすで移動できるようにする必要がある。	車いすでぶつかる際の原因がわかり、安全に車いすで移動できる。	3か月	何かにぶつかった際の状況を把握し、ぶつかる際の原因を本人とともに探り、対策を考える。／車いすで移動時、何かにぶつかったときのようお願いする。けがをしていないか、ぶつかった人はいないかなど、まず安全状況を確認する。左足の状況、環境面など、ぶつかったときの状況を詳しく把握する。ぶつかったときの状況を他職種(リハビリテーション職、介護福祉職)に伝え、それぞれの意見を聞く。本人とともにぶつかる理由について考える。ぶつかる理由に気をつけ操作してもらう。	車いすで移動時で、何かにぶつかったとき

第3章 介護過程の実践的展開

				(以上のことをくり返す)	
Dさんは、自分らしさを表現できることに喜びや生きがいを感じている。継続してよりよい作品を創作し、公表できるようにしていく必要がある。	努力すれば投稿可能な難易度のところへ作品を投稿し、受賞などをめざすような具体的な目標を設定する。	3か月	Dさんの描いた絵を施設の廊下に飾っているが、コンクールの受賞やイベント時に公表するなど具体的な目標を設定する。	絵画における目標について、Dさん本人の思いを聞き、絵画教室の先生に相談する。本人とインターネットなどを活用し、絵画のコンクールなどの情報収集を行う。外部のコンクールがむずかしければ、施設のイベントの際、Dさんの絵画コーナーを設け展示することを本人に投げかける。いずれにしても、具体的な目標を設定し、それをめざして絵を描いてもらえるようながす。目標を設定後は、Dさんの制作意欲が高まっているかどうか様子を観察する。	絵画教室の前後の時間を使う。日中活動に参加しない日の午後を利用し週1回程度
Dさんは、より自分らしい生活を望んでいる。今後は、1人暮らしも視野に入れ、絵画などのデザイン力を活用した就労の可能性について模索する必要がある。	就労や1人暮らしについて、どのように思っているのかを聞き、今後の可能性についていっしょに考える。	6か月	地域に出て1人暮らしをすることについて、本人の思いを知る。	施設に入所しさまざまなことができるようになったが、今後1人暮らしをすることについてどう思っているのか聞く。必要であれば、施設から地域へ移行した利用者に直接話を聞く。デザイン力をいかした就労について、Dさん自身はどう思っているのか聞く。看護職、リハビリテーション職、相談職の立場から、Dさんの1人暮らしの可能性について話をする。さまざまな意見を聞き、本人の思いを聞く。	月1回の外出時 日中活動に参加しない日の午後を利用し月1〜2回程度

第3章 介護過程の実践的展開

第2節 「介護過程」展開の実際

●実施評価表

実施状況	評価
・家族への思いを伝え、家族からの思いも本人に伝わるなど、家族とのつながりを感じることができる。 ・地元へ日帰り帰省する計画を立てる。 Dさんに家族への思いを聞くため話をしていると、少し涙ぐむことがあった。母親や姉に感謝しているが、言葉で思いを伝えるのは恥ずかしいので、詩をつくって表現していた。「本当は姉に会いたいけど、あの人もいろいろ忙しいから……」など、夫の介護をしながら家事をする姉のことを心配していた。そんな忙しい姉の励みになることも考えられるため、感謝の思いや家族へ近況を伝える手紙を書くことにしてはどうかと提案した。何度か話をするなかで、「手紙を書いてみる」と本人から希望があったことから、少し恥ずかしそうに「考えてみる」と言った。 その後も何度もDさんと話し、「時々電話することも考えたが、タイミングがむずかしいよね。だから手紙を書いてみる」と言った。はじめて手紙に書く事柄を書くため、数日後に渡ってパソコンに向かっていた。担当職員に書いた手紙を見せ感想を聞き、書き直すことをくり返している。 地元へ日帰り帰省することを提案したが、さびしそうな表情で「姉は忙しいから無理だよ」と言い、姉のことを心配しているようだ。	Dさんが家族を大切に思っていること、家族に会いたいと思っていることはわかっていた。しかし、あらためて家族への思いを語る場や機会は少なかったように思う。また、職員が話しそうにしていると、Dさんから家族への思いを語ろうと職員に声をかけることは考えにくい。 何度か話をするなかで、「手紙を書いてみる」と本人から希望があったことから、Dさんの家族への思いをあらためて聞く機会を設けることで、Dさんにもよい機会になったのではないか。本人が納得する手紙が書けるように、相談に乗るなど、今後もサポートする必要がある。 日帰り帰省については、姉の忙しさに配慮し、無理だと感じているようだ。さびしそうに返答していたことから、姉の状況がわかれば、検討してもよいのではないか。今後手紙のやりとりがある程度習慣化し、姉の状況次第では日帰り帰省をしたいと思っているのではないか。
・おむつかぶれによる皮膚のかゆみが減少する。 おむつかぶれやかぶれに伴うかゆみについて、不快に思っていることや程度を確認した。夜間目覚めるほどかゆみに不快感を感じてはいないが、日中かゆみを感じることはあるようだ。汗をかくことも気にしており、夏場はとくに毎日入浴したいと思っていることがわかった。そこで、入浴がない日の就寝前、寝衣に着替える際に清拭を行うことを提案し快諾した。その後入浴がない日の就寝前、寝衣に着替える際に清拭を行った。清拭をとても喜んでいた。さっぱりするだけでなく、「よく眠れる気がする」と言っていた。	かゆみや汗をかくことを不快に感じていることが確認できた。寝る前に清拭を行うことで、爽快感だけでなく安眠にもつながっており、今後も続ける必要がある。また、夏場は毎日入浴したいという気持ちを尊重したいが、施設入所者全員が週3回入浴し毎日入浴室を毎日利用している。そのため、入浴回数を増やすことは困難であり今後の課題となった。入浴日であっても体力や発汗状態などを考慮したうえで、清拭を提案してもよいかもしれない。Dさんにとっては習慣となっている。しかし、日中は座敷トイレにて排泄しているため、睡眠の状況や皮膚の状況をアセスメントし、今後も夜間の排泄方法について検討する必要がある。

117

- 車いすでぶつかる際の原因がわかり、安全に車いすで移動できる。

何かにぶつかることでDさんがけがをすることや、他の利用者とぶつかることでトラブルになる可能性を考え、ぶつからないように車いすを操作する必要性を伝えた。Dさん自身も理解しており、何かにぶつかった際には職員に声をかけるようにするのことであった。

○月○日15：30入浴後居室に戻る際、居室付近の廊下の壁にぶつかった。介護福祉職とリハビリテーション職でその場所へ行き、現状を観察した結果、けがや壁の破損はなかった。本人に経過を聞くと、「入浴後気持ちもよくなって、少し油断していた」とのことであった。疲れているときは職員に声をかけ、職員の介助で移動し身体を休めてから、車いすの操作をすることになった。

Dさん自身も車いすの操作に課題を感じていることがわかった。ぶつかった際、すぐに職員を呼び、リハビリテーション職と介護福祉職で現状を確認することができた。けがや破損はなかったが、疲れたときに油断していたということがわかったことから、疲れたときに車いすの操作を慎重に行うこと、体調への配慮が必要である。

介護福祉職から声をかけ注意をうながすことも大切だが、Dさん自身にも自覚してもらうことも大切なので、今後も継続して行う必要がある。

- 努力すれば投稿可能な難易度のところへ作品を投稿し、受賞などをめざすような具体的な目標を設定する。

Dさんに絵画における目標について、思いを聞いた。車いすでも座位姿勢がとれるようになり、絵を描くなどさまざまなことにチャレンジしてできるようになった。これからもチャレンジしたいと思っている。絵を描くことについては、絵を描き施設の廊下に飾るだけではなく、具体的な目標があったほうが、より長く描く意欲が高まるとのことであった。

その思いを絵画教室の先生にも伝え、絵画教室のあと、先生とDさんと担当職員で話し合った。コンクールへなどの出展は未来の目標とし、まずは地域の方も参加する施設のイベントで、Dさんの絵画を飾るブースを設けることとした。

目標ができたDさんはとてもうれしそうで、友人や職員に「イベントで絵画を飾るブースを設けるためにがんばらないといけない」と語っていた。

Dさんは職員が忙しそうにしていると遠慮するところがあるので、あらためて絵を描くことについて思っているのか思いを聞いてよい機会になった。絵を描きはじめたころは、描くことに慣れるように、慣れてきたらよりうまく描けるようにと思って描いていたようだ。最近は足を使っての筆使いに慣れ、思いどおり描くことができるようになったので、何か目標を見つけたいと思っていたようだ。

先生も含め話す機会を設けたため、絵画教室でも目標に向かって描くことができる点はよかった。

友人や職員に「イベントで絵を飾るブースのためにがんばる」と言っていたらしく、目標ができたことで、絵を描くことに対してより意欲が向上したのではないか。

- 就労や1人暮らしについて、どのように考えているのかを聞き、今後の可能性についていっしょに考える。

今までの生活、これからの生活について、どう考えているのかを話す機会を何度か設けた。施設に入所し、車いすで移動できるようになり、絵や詩などを作成することもできるようになった。パソコンを使うこともできるため、その能力をいかした就労の可能性や、就労が可能になることで1人暮らしをすることを目標にしていた。本人としては施設ですごすことにチャレンジすることも目標にしていたが、就労や1人暮らしのことを考えたことがなかったようだ。「1人暮らしなんて考えたこともなかった。

Dさんは今までさまざまなことができるようになった。これからの生活について話し、施設や1人暮らしについて考えたことがなかったようだ。家族の介護を受け40年間自宅で生活していたDさんにとっては、就労や1人暮らしを考えるきっかけはなかったのではないか。

自分史や詩を公表しているのは、自分の存在意義を示すためであると思われる。また、チャレンジ精神も強いため、就労、ひいては地域での生活を検討し、Dさんらしい生活を考えるためでもあると考えられる。

お金を稼ぐことには興味あるねと言い、1人暮らしには不安があるが就労には興味を示した。まずは就労を進めることについて、今後も検討を進めることになった。

の自己実現に向けた支援を継続的に行う必要があると感じる。

家族への思い、皮膚の不快感、絵画における目標、車いすの操作、就労について、ふだんの様子からDさんの課題に対する思いについて予測はしていた。しかし、実際にそれらについて話し合う機会を設けていなかったので、Dさん自身がどのように思っているのか確認する必要性にあらためて気づいた。そのうえ思いを確認する機会をもつ気持ちがあるので、Dさんはいろんなことにチャレンジする気持ちがあるので、Dさんが自己決定できるような選択肢の提案をすることが求められる。また、他者の評価を気にする繊細な部分があるので、施設という集団生活のなかで心身ともに快適に過ごせるような視点も大切である。将来的には就労はもちろん、地域生活への移行についても検討をすすめる視点が必要である。

気づいたこと
(新たな課題や可能性)

第 **3** 章 介護過程の実践的展開

事例3　在宅における脳血管疾患のある女性の事例

● フェイスシート

氏名（性別）	Hさん　女性
生年・月（年齢）	○○年・○月（80歳）
サービス開始年月（何年目か）	○○年・○月（1年目）
サービスを利用することにいたった理由	2年前（78歳）に脳内出血を発症し手術をするが、左片麻痺が残る。その後、J病院に転院し、リハビリテーションを行う。半年後には、リハビリテーションの効果がみられ、杖歩行ができるようになるまでに回復した。「自宅で生活をしたい」という本人の意向により、J病院を退院し、在宅生活に移行した。自宅では1人暮らしではあるが、自分なりに工夫をして、調理、洗濯、そうじ等をしていた。息子（65歳、長男）が近隣に在住し、定期的にHさん宅に訪れ様子をうかがったり、通院や外出等の介助をしたりしていた。Hさんも生活上で何か困りごとがあれば、長男に連絡して相談をするなど、こころのよりどころにしていた。しかし、長男に肺がんが発覚し、半年後に他界をしてしまう。長男に先立たれた精神的ショックから、家事をしなくなり、外出することもほとんどなく、うつ症状があらわれてきた。 Hさんの友人から県外に住んでいる長女に、「最近元気がない」という連絡があり、長女から地域包括支援センターに相談があった。相談を受けた地域包括支援センターの担当者がHさん宅に訪問し、訪問介護の利用にいたった。
家族	夫：10年前に他界 長男：近隣に在住し、Hさんのキーパーソンであったが、肺がん発症後、半年で他界する。離婚後1人暮らしをしていた。子どもはいない。 長女：結婚し、遠距離の他県に在住。成人して働いている子どもが2人いる。
キーパーソン	長女
サービス利用前の生活状況	10年前に夫が急逝する。その2年前（68歳）に脳内出血を発症。本人は在宅で生活をしていきたい思いが強く、近隣に生活していた長男の手助けにより、自分で家事の工夫等をしながら生活をしてきた。 性格は明るく、脳内出血発症前は友人と旅行に行くなど、とても社交的であった。趣味は、旅行、庭での菜園、料理であった。料理をつくると、長男や友人にもおすそ分けをしていた。 半年前に長男が他界してからは、ただ茫然と部屋にひきこもり、泣くばかりの毎日を過ごしている。
サービス利用における本人・家族の要望	本人：長男に先立たれ、今は何もする気がしない。ちょっと外に出てみようかと思うが、やる気が起きない。調理はしているが、あまり食欲はなく、食べる量も減った。ひきこもる時間が多くなった。 長女：母は1人暮らしで、自分は県外にいるので心配。兄が他界して以来、生活していく意欲がなくなっており、今後、身体の状態や認知症にならないかが不安である。介護保険サービスを活用して、前のように明るい母に戻って、本人が望むように自宅で暮らしてほしい。
その他	

第2節 「介護過程」展開の実際

● 情報収集シート

1　健康状態、心身機能・身体構造

1	要介護状態区分／障害支援区分	要介護2
2	認知症高齢者の日常生活自立度	認知症高齢者の日常生活自立度：Ⅰ
3	障害の状況（身体・知的・精神）	障害高齢者の日常生活自立度：A1 左片麻痺および体幹機能障害
4	現在のおもな疾患	脳内出血 うつ状態
5	服薬	抗凝固薬　抗精神薬
6	既往歴	脳内出血以後、左片麻痺の後遺症が残っている。 長男の死亡後、うつ状態と診断される。
7	平常時のバイタルサイン	体温：36.8℃　　脈拍：75回／分　　呼吸：18回／分　　血圧：135／105mmHg
8	その他（身長・体重等）	身長：153cm　体重：43kg　BMI：18.4 うつ状態により、日中の活動量が減っている。

2　活動（日常生活の状況）

		現在の状況（本人の思い）
9	家事	左片麻痺があるなかで、料理やそうじを工夫しながら行っていたが、長男の死をきっかけに家事への意欲がなくなっている。室内のそうじもできていない状態である。近隣の友人が時々、おかずなどをもってきてくれる。洗濯物を干したり、取り入れたりができる。 （友人には申し訳ない思いがあるが、家事に対する意欲が起こらない）
10	移動	室内、室外ともT字杖を使い移動しているが、最近歩行が不安定になっている。買い物は、近隣に住む長男が定期的に車で連れていっていたが、亡くなったためにそれができなくなっている。現在は友人が心配して食べ物などを運んでくれたり、買い物をしてくれたりしている。 （友人の助けをありがたいと思っている）
11	身じたく	左片麻痺があるため時間がかかるが、自分で着替えができている。最近は、1日中パジャマでいることが多い。 （着替える意欲が起こらない）
12	食事	右手で箸やスプーンを使い、自力で食事をすることができている。 長男の死後、食事量が減ってきている。 （食欲があまりない）
13	排泄	尿意、便意はある。自宅のトイレで排泄ができているが念のためリハビリパンツと尿取りパッドを着用している。しかし、最近トイレまで間に合わず、失敗していることが多くなっている。 （自分でトイレができるよう工夫しなければならないと思っている）

14	入浴・清潔保持	入浴は浴槽につかりたいが、左片麻痺があるため、1日おきに自力でシャワー浴をしている。長男を亡くしてからは、意欲の低下がみられ、入浴の回数が週1回程度に減っている。 （入浴に対する意欲があまりない） 洗面、歯みがきは、毎日自分で行っている。
15	睡眠	20時ごろにベッドに入り、4時ごろに起床しているが、いろいろなことを考え眠れないときがある。日中もほとんど自宅におり、傾眠状態が増えたため、夜眠れないときがある。 （心配ごとなく眠りたい）
16	コミュニケーション	社交的な性格で趣味のことなど、友人と話をすることが好きだった。最近は友人と話すことがほとんどなくなり、長男が亡くなってからは「早く死にたい」と言うことが多くなっている。 （以前のように前向きに話ができない）

3　参加（豊かさ）

		現在の状況（本人の思い）
17	意欲・生きがい	長男が健在のときは、自分で工夫しながら自宅で生活をしていきたいという意欲があり、友人とも楽しく趣味の旅行や菜園、また料理をして長男や友人に食べてもらうことが生きがいであった。 （前のような意欲や生きがいがなくなっている）
18	余暇の過ごし方	以前のような趣味や外出は、まったくしていない。ほとんど家の中でひきこもりが続いている。
19	役割（家庭／社会）	趣味でつくっていた料理などを息子や友人にあげていた。また、友人との集まりにも積極的に参加していたが、現在はできていない。 ただ、遠方にいる娘から連絡があるときは「あんたも、孫も元気かい？」と気づかっている。 （長男を亡くしてから、自分の役割を感じられずにいる）
20	その他	

4　環境因子

		現在の状況（本人の思い）
21	生活環境	平家の一戸建てで、玄関や廊下、トイレ、台所、浴室など、Ｈさんが必要な箇所に、長男が自分で手すりを設置している。手すりのネジが所々でゆるんでおり、修復が必要である。 庭には、趣味であった菜園があるが、現在は手入れされてなく草が生えている。 （菜園の手入れをしなくてはいけない、と気になっている）
22	生活に必要な用具	現在設置してある修復が必要な手すりなど （長男が設置したものなので、大切にしたい）
23	経済状況	10年前に亡くなった夫が会社員をしていたこともあり、遺族年金を受給している。 （とくに不満はない）

24	家族関係	長男が亡くなったあとは、県外にいる長女が電話連絡等で毎日安否確認をしている。 （娘とのやりとりは楽しみである）
25	サービス（制度）の利用状況	K通所リハビリテーションを週1回利用している。 L訪問介護を週3回利用を開始する。 車で20分程度のところにある病院に通院している。 長男が亡くなってから、徒歩で5分程度の場所にある心療内科を受診している。
26	その他	スーパーは車で10分程度のところにある。

5 個人因子

27	価値観・習慣	もともと自立心が強く、左片麻痺がありながらも在宅で工夫をして生活していた。友人と楽しく過ごすこと、また趣味である料理を友人と長男に食べてもらうことを生きがいとしていた。 （それができなくなり、自分の役割を見いだせない）
28	性格（個性）	明るくて、社交的。友人や、何より大切な長男のために、おかずや菜園でとれた野菜をあげるなど、だれかのために何かをしてあげたいというやさしい性格。
29	生活歴・出身地	○○県で祖父母、両親、兄4人、姉2人の10人家族の農家に、末っ子として生まれた。暮らしは決して豊かではなかったが、地元の女学校を卒業し、20歳で会社員の夫と写真見合いをして結婚。 Hさんは、主婦とともに農家の手伝い、スーパーのパートで家計を支えてきた。長男が他界する前は、国内の旅行に行ったり、菜園をいっしょにしたりするなど趣味も充実していた。両親、きょうだいは全員他界している。
30	特技	料理、菜園
31	1日の過ごし方	長男が亡くなる前は、朝6時ごろに庭の菜園の世話をし、8時ごろに朝食。洗濯等の家事を自分で行い、定期的な受診や買い物は息子としていた。12時に昼食、午後からは友人と井戸端会議をし、そうじ、洗濯物の取り入れ、夕食の準備をし、18時ごろに夕食。入浴後、21時に就寝。 現在は、朝遅くまで布団に入り、午後もほとんど外に出ることはない。
32	その他	うつ状態でやる気がでないながらも、調子のよいときは「自分の力で自宅で生活したい」と言う。

●ICFモデルを活用した情報の整理表

健康状態（変調または病気）
- 2年前（78歳）に脳内出血を発症
- 認知症高齢者の日常生活自立度：Ⅰ
- 障害高齢者の日常生活自立度：A1
- BMI：18.4で、やや低体重（食事量が減ってきている）
- うつ状態

心身機能・身体構造
- 左片麻痺および体幹機能障害

活 動
- うつ状態になり、日中も家にひきこもりがちである。
- 洗濯物を干したり、取り入れたりすることができる。
- 左片麻痺がありながらも工夫して、料理、そうじなどの家事を行っていたが、意欲がなくなっている。
- 最近歩行が不安定になっている。
- 衣服の着脱に時間がかかる。
- トイレまで間に合わず失敗することがある。

参 加
- 友人が多い。友人が来たときにはコミュニケーションがとれている。
- 遠方にいる娘から連絡があるときは、「あんたも元気かい？」と気づかい、母親、祖母としての役割の気持ちがある。
- K通所リハビリテーションに週1回通っている。

環境因子
- 住居は平屋で、亡くなった長男が、Hさんが自宅で過ごせるように、玄関や廊下、トイレ、台所、浴室などに手すりを設置している。
- 所々、壁に設置してある手すりの取り付け部のネジがゆるんでいるところがある。
- かかりつけの病院まで車で20分程度かかるが、心療内科は徒歩5分程度で通える。
- 頼りにしていた長男が亡くなり、長女は遠方のため直接の援助はできないが、毎日電話がある。
- 友人が食べ物をもってきてくれたり、買い物をしてくれたりすることに、ありがたいと思っている。
- スーパーは車で10分程度のところにある。
- L訪問介護の週3回利用を開始する。

個人因子
- Hさん、女性、80歳、1人暮らし
- 友人が多く、以前は社交的。
- 料理が趣味で、友人たちにおすそ分けをするのが生きがいであった。
- 調子のよいときは「自分の力で自宅でうつ状態を治したい」と言う。
- 長男が亡くなったことのショックでうつ状態となり、現在は何もする気がしない。

124

●アセスメント表

利用者の生活像	アセスメント関連番号	情報の解釈・関連づけ・統合化	予測される生活課題
1 人生のどの時期にあって（個人因子） ①Hさん、80歳、1人暮らし ②友人が多く、以前は社交的。だれかのために何かをしてあげたいというやさしい性格 ③料理が趣味で、友人たちにおすそ分けをするのが好きであった。 ④調子のよいときは「自分の力で自宅で生活したい」と言う。 ⑤長男が亡くなったことのショックでうつ状態となり、現在は何もする気がしない。	④⑥⑩⑬⑭ ①⑦⑩⑪⑫ ⑮⑳㉔㉕	◎ **自立の視点** 左片麻痺があるながらも、友人のサポートを受けながら何とか自宅で生活をしている。うつ状態でやる気がでない日が多いが、調子のよいときは「自分の力で自宅で生活したい」という気持ちがある。これらをいかして生活意欲を少しずつ取り戻せるよう支援していく必要がある。 長男が亡くなったことがきっかけでうつ状態と診断された。また、通所リハビリテーションに通っているもののADLが低下していることや歩行状態が不安定である。これらのことにより、外出することやや家事をすることの意欲が低下していると考えられる。こころのケアをはかりながら、介護支援専門員を通じて、K通所リハビリテーションの理学療法士と連携し、ADLの向上への支援が必要である。	◎ **自立の視点** Hさんは「自分の力で自宅で生活したい」と思っている。この思いを尊重し、生活意欲を少しずつ取り戻していく必要がある。 こころのケアをはかりながら、在宅での家事をともに行う。IADLの向上への支援とともに、QOLの向上への支援が必要である。
2 どのような心身の状態で（健康状態、心身機能・身体構造） ⑥2年前（78歳）に脳内出血を発症 ⑦認知症高齢者の日常生活自立度：I ⑧障害高齢者の日常生活自立度：A1 ⑨BMI：18.4で、やや低体重（食事量が減ってきている） ⑩うつ状態 ⑪左片麻痺および体幹機能障害	①②③⑤⑪ ⑫⑱⑲㉓	◎ **快適の視点** 長男が亡くなったショックから現在はうつ状態で何もする気がしないが、以前は料理をすることが好きで友人たちに食事を提供することや、菜園で育てた野菜などをあげることが生きがいであった。現在は、友人が食べ物をもってきてくれたり、買い物を代わりにしたりしている。そのことをありがたいと思っている。だれかのために何かをしてあげたいという性格である。 また、長女との電話のやりとりや、長女や孫に対して、「あんたも、孫も元気かい？」と気づかいの言葉をかけていることから、母、祖母としての役割のやりがいがある。これらをいかして、Hさんの意欲を高めることができないだろうか。	◎ **快適の視点** Hさんは、だれかのために何かをしてあげたいという思いがあるが、実際にはできなくなりつつある。Hさんの特技を引き出して、生きる意欲を高める支援が必要である。とともに、母、祖母としての役割の気持ちをもち続けることができるよう見守っていく必要がある。
3 どのように生活している人なのか（活動、参加、環境因子） ⑫うつ状態になり、日中も家にひきこもりがちである。 ⑬洗濯物を干したり、取り入れたりができる。	①④⑦⑧⑩ ⑪⑫⑮⑯⑰	自分で工夫しながら自宅で生活を送りたい気持ちはあるが、うつ状態により意欲が低下している。加えて、K通所リハビリテーションにトイレでの失敗により自信がなくなることがないように、	トイレでの失敗により自信がなくなることがないように、

125

⑭左片麻痺がありながら工夫して、料理、そうじなどの家事を行っていたが、最近歩行が不安定になっている。		
⑮衣服の着脱に時間がかかる。	⑳	通っているものの、移動や衣服の着脱に時間がかかるため、トイレまで間に合わないことがある。この状態が続くと「自宅で生活をしていく」という自信を完全に喪失してしまうおそれがある。	ADLの向上をめざした支援が必要である。
⑯トイレで間に合わず失敗することがある。			
⑰友人が来たときにはコミュニケーションがとれている。	⑰⑮㉑㉒	◎ 安全の視点	◎ 安全の視点
⑱遠方にいる娘から連絡があるときは、「あんた、孫も元気かい？」と気づかい、母親、祖母としての役割の気持ちがある。		活動の低下により下肢筋力が落ちているため、歩行時に転倒の危険性がある。長男が取り付けてくれた手すりのネジがゆるんでおり、手すりが不安定な箇所がある。歩行時の転倒を防ぐために、手すりの手なおしを確認し、Hさんの手すりや杖を使った歩行状態、立位の状態を観察するとともに、転倒しないよう見守りが必要である。	歩行が不安定となっており、転倒を防ぐ必要がある。
⑲K通所リハビリテーションに週1回通っている。			
⑳住居は平屋で、亡くなった長男が、Hさんが自宅で過ごせるように、玄関や廊下、トイレ、台所、浴室などに手すりを設置している。	⑨⑩	うつ状態により食欲が減退し、BMIが18.4まで下がったため、栄養失調の危険性がある。また、咀嚼力、嚥下力の機能も減退している可能性があるため、誤嚥のおそれがある。低栄養にならないよう、献立をHさんとともに考え、バランスのとれた料理の支援が必要である。	Hさんとともに栄養バランスのとれた献立を考える必要がある。
㉒所々、壁に設置してある手すりの取り付け部のネジがゆるんでいるところがある。			
㉓頼りにしていた長男が亡くなり、長女は遠方のため直接の援助はできないが、毎日電話がある。			
㉔友人が食べ物をもってきてくれたり、買い物をしてくれることに、ありがたいと思っている。			
㉕スーパーは車で10分程度のところにある。			

●介護計画書

長期目標 (期間：6か月)	ADL、IADLが向上し、自分の力で料理や洗濯、そうじ等の家事ができ在宅での生活が継続できる。趣味である料理や菜園での活動を行い、「生きがい」をもって在宅生活を送る。			
課題	**短期目標**	**(期間)**	**具体的な支援内容・方法 (内容)(方法)**	**頻度**
Hさんは、だれかのために何かをしてあげたいという思いがあるが、実際にはできなくなりつつある。Hさんの特技を引き出して、生きる意欲を高める支援が必要であるとともに、母、祖母としての役割の気持ちをもち続けることができるよう見守っていく必要がある。	Hさんの好きな「料理」を自分で行い、友人におすそ分けをしたり、菜園でとれた野菜などを遠方にいる長女に送ったりするなど、楽しみをもって在宅生活が送れる。	6か月	Hさんと料理等の会話をする楽しみを共感しながら、ともに料理を行う。また、訪問介護員と長女や孫に、遠方にいる長女へ、Hさんがつくった野菜を送ることができるよう、いっしょに庭の菜園に行き、Hさんの動作、表情を観察し、意欲を引き出す会話をする。	週3回
トイレでの失敗により自信がなくなることがないように、ADLの向上をめざした支援が必要である。	ADLが向上し、排泄行為が自宅のトイレでできる。	3か月	排泄のうながしや声かけを行う。自宅での自立した排泄行為ができるように、K通所リハビリテーションの理学療法士と連携し、リハビリのための衣類や下着の着脱方法について、Hさんが負担なくできるような助言を行う。また、夜間はHさんの意思を確認後にポータブルトイレの設置を行う。	週3回
Hさんは「自分の力で自宅で生活したい」と思っている。この思いを尊重し、生活意欲を少しずつ取り戻していく必要がある。こころのケアもはかりながら、在宅での家事をともに行う。	料理、洗濯、そうじなどの家事を少しずつ行い、1日の生活リズムをつくっていく。K通所リハビリテーションで行っている体操を自宅でも実施し、身体機能の向上をはかる。	3か月	現在のHさんの「できること」を確認しながら、生活のリズムが整うよう支援を行っていく。在宅での体操を、訪問介護員の見守りのなかで、5分程度行う。Hさんとのコミュニケーションのそうじをいっしょに行う。料理の献立をいっしょに考え、やわらかいものを切ることや、味見などをしてもらう。また、洗濯物をいっしょに干すこともやっていくこと、居室や寝室などのそうじをいっしょに行う。訪問介護員のリハビリ体操をいっしょに行う。また、Hさんの身体機能の観察を行い、Hさんの思い出や、趣味、楽しみだったことなどについて、Hさんの身体機能の観察を行う。	週3回

生活課題（ニーズ）	長期目標	期間	短期目標	支援内容	頻度
IADLの向上への支援とともに、QOLの向上への支援が必要である。	また、訪問介護員などとのコミュニケーションを通して、精神が安定した生活を送ることができる。		…のなかで、精神が安定した生活ができるように支援する。	…で、コミュニケーションをはかる。	
歩行が不安定となっており、転倒を防ぐ必要がある。	下肢筋力が向上し、杖や手すりを活用し、転倒しないように在宅で生活ができる。	3か月	ベッドやソファからの立ち上がりや居室内の移動を、杖や手すりを上手に使い、転倒しないよう、見守りや一部介助の支援を行う。	立ち上がり時には一部介助を行い、転倒を予防する。移動時は、とくに方向転換をするときに注意して一部介助と見守る支援を行う。訪問時には、長男が設置した手すりの状態を確認し、異常を発見した場合、介護支援専門員に連絡をとる。	週3回
Hさんとともに栄養バランスのとれた献立を考える必要がある。	バランスのとれた食事を毎日とり、低栄養にならないような食生活を送る。	3か月	朝、昼、夕の三食をきちんととり、現在の低体重（BMI:18.4）が向上するような支援を行う。	栄養のある献立を、Hさんとともに考え、バランスのとれた料理をいっしょに行う。	週3回

第3章 介護過程の実践的展開

●実施評価表

実施状況	評価
・Hさんの好きな「料理」を自分で行い、友人におすそ分けでたり、野菜などを遠方にいる彼女さんに送ったりするなど、楽しみをもって在宅生活が送れる。 Hさんの好きな「料理」を自分で行い、「友人にまたつくってあげたい」という発言がみられるようになり、少しずつ意欲の向上につながっている。だが、当初に比べて立位の時間が長くなっている。菜園には、訪問介護員といっしょに庭に出ていき、訪問介護員の見守りのもと、土いじりをしていた。友人といっしょに、トマトの苗を植えており、トマトができたら、娘や孫に送ると楽しみにしている。	ADL、IADLの回復がみられ、今後、生きがいである「料理をつくり、友人たちに食べてもらう」ことが実現できそうである。 友人は食べ物をもってきてくれたり、買い物を代わりにしてくれたりしており、その恩返しができることがやりがいにつながっている。 「トマトを友人とともに植えて家族に送りたい」という発言があり、母や祖母としての役割を見いだすように変わった。 今後も、地域の友人たちの協力もえながら、「生きがい」を取り戻していく支援が必要である。
・ADLが向上し、排泄行為が自宅のトイレでできる。 K通所リハビリテーションでのリハビリへの意欲が少しずつ戻ってきた。加えて、リハビリの効果がみられ、トイレへの失敗は少なくなってきた。訪問時には、トイレへの声かけをし、排泄をしていた。見守りのもと、ズボンや下着の上げ下げに時間がかかってしまうことが失敗をしていたが、K通所リハビリテーションの訓練の結果、次第にトイレが間に合うようになってきた。夜間はポータブルトイレを活用することで安心した様子がみられた。	K通所リハビリテーションの理学療法士から、排泄時の転倒の危険があるポイントを聞き、訪問時にして声かけをして見守りをすることで、Hさんが安心してトイレで排泄することができている。 訪問介護員からポータブルトイレへの移動がしやすいように助言をしたことで、夜間はポータブルトイレで排泄するようになり、失敗が少なくなってきた。
・料理、洗濯、そうじなどの家事を少しずつ行い、1日の生活リズムをつくっていく。 はじめのころは、表情が暗く、会話も少なめであったが、料理の話を毎日していくことで、訪問介護員が暗いしい料理方法を教えてくれるようになり、料理のときは、次第に表情がよくなってきた。「料理をいっしょにしましょう」と声かけをすると、「やろうかね」という発言があったので、いっしょに行った。しかし、下肢筋力が低下していたため、台所での長時間の立位が困難で、いすに座って行った。ADLが低下する前は左片麻痺だが、左腕もある程度は稼働していたため、左手を上手に使いながら、野菜やお肉を切っていたと話してくれた。現在はADLの低下で、左腕の	長男が亡くなったさびしさと、1人暮らしの環境から、何もしたくない状態であった。しかし、もともと自立心が強いことと「自分の力で自宅で生活したい」という思いに対して訪問介護員が介入し、いっしょに家事を行うよう声かけをすると、抵抗なく実施するようになった。 週に3回訪問介護員が介入することによって、いっしょに食事をし、話をする機会が増えたことで、当初より表情がよくなっていった。また、K通所リハビリテーションの理学療法士から、「リハビリへの意欲が戻ってきた」との報告があり、訪

可動域がせまいが、介護支援専門員と相談し、調理をする際の福祉用具を活用するようになり、やわらかいものを包丁で切れるようになった。調理をする最中はとてもよく、「楽しい」と言う発言があった。洗濯物は室内の縁側に訪問介護員といっしょに干し、取りこんでいただくこともいっしょに行っている。そうじは、身の回りの片づけはHさん、そうじ機かけを訪問介護員が行い、乱雑であった居室は整理され、清潔な生活環境となった。	同介護員といっしょに調理を行い、「楽しみ」を少しずつもちはじめたことが、リハビリへの意欲にもつながったと考えられる。
・K通所リハビリテーションで行っている体操を自宅でも実施し、身体機能の向上をはかる。また、訪問介護員などのコミュニケーションを通して、精神が安定した生活を送ることができる。 K通所リハビリテーションでのリハビリと、訪問介護員といっしょに自宅で、ADLの回復を行っている効果から、リハビリ体操を5分程度行うと、上腕の可動域が当初より広がっている。歩行状態は、おもにT字杖を活用し移動している。方向転換のときにはまだ少々ふらつきがみられるため、引き続き注意が必要である。介入するときは、長男との思い出話をすると、時々涙ぐることもあるが、訪問介護員が話を聞くことで、安心したような表情がみられる。	K通所リハビリテーションの理学療法士に、在宅でのリハビリ体操を訪問介護員にも教えてもらい、自宅でのリハビリ体操として実施することで、ADL、IADLの向上がはかられている。 身体の回復とともに効果を実感することで、精神的な安定をはかられているのではないか。歩行状態は、まだふらつきがみられ、ひやりとすることがあるため、今後も引き続いて注意観察が必要である。
・下肢筋力が向上し、杖や手すりを活用し、転倒しないように在宅で生活ができる。 当初は、ベッドやソファからの立ち上がりや、立ち上がり動作の一部介助が必要で、介助を行っていた。3か月目には、福祉用具でレンタルしている立ち上がり補助手すりを活用し、見守りのみで1人で立ち上がることができている。移動時は杖や手すりを活用して歩行している。方向転換のときにはふらつきがあるため、とくに注意して見守りを定期的に確認しているが、ネジがゆるんでいる以外にはとくに不具合はみられなかった。	日常の歩行状態や立ち上がりの動作を観察した結果、K通所リハビリテーションのリハビリ、自宅でのリハビリ体操の効果がみられる。あるものの、引き続きリハビリ体操と見守りをすることで、歩行の安定がみられることが期待できる。 本人もリハビリテーションの効果を実感しており、生活へのモチベーションになっている。 現在設置してある手すりは長男が設置したものなので大切にしたいというHさんの思いを重視してメンテナンスを定期的にしていく。
・バランスのとれた食事を毎日とり、低栄養にならないような食生活を送る。 食事を1日三食バランスよくとれるように、いっしょに献立を調理をしました。もとHさんは料理が得意で、「今の季節でおいしい料理を加えてみましょう」と、「何がいいかな」と、献立を考えるのが楽しそうであった。自分が食べたいメニューを考えることで、食事の摂取量も増えたようである。	バランスのとれた食事をするようになり、体重が2kg増加して、45kgになっており、訪問介護員といっしょに料理をしてきたことの効果がみられた。

第3章 介護過程の実践的展開

気づいたこと（新たな課題や可能性）

左片麻痺がありながらも、意欲的に1人で工夫して生活していた最中に、長男が亡くなったさびしさでうつ状態と診断され、大変苦労をして生活してきたことがうかがえた。そのような苦労を訪問介護員も理解し、Hさんの悲しみやつらさを受容し、共感する必要性に気づいた。そして、Hさんがもっている力とは何か、どのように悲しみを乗り越え自分が望む生活を送りたいかをアセスメントし、かかわる専門職が地域のHさんにかかわるインフォーマルとフォーマルの人たちがチームを組んでアプローチしていくことで、HさんのADL、IADLが向上するとともに、意欲も向上すると、意欲をもって生活していきたい」という意欲をもって「自立して生活していきたい」という意欲をもって生活している。元来、Hさんは24時間ヘルパーを1日おきにシャワー浴をしている。入浴も1日おきにシャワー浴をしている。入浴も1日おきにシャワー浴をしているので、今後も継続的にHさんにかかわるフォーマルとインフォーマルの人たちがチームを組んで支援を行っていくことで、Hさんはさらに意欲を取り戻し、Hさんらしい生活ができると思われる。

第2節 「介護過程」展開の実際

131

事例4　介護老人福祉施設におけるターミナル期の女性の事例

●フェイスシート

氏名（性別）	Mさん　女性
生年・月（年齢）	○○年・○月（83歳）
入所年月（何年目か）	○○年・○月（3年目）
入所にいたった理由	パーキンソン病の悪化で療養病床への入退院をくり返すあいだに、心身機能が低下した。その結果、在宅での生活が困難となり介護老人福祉施設へ入所することになった。
家族	・夫はすでに亡くなっている。 ・長女と長男は、それぞれ結婚しており、長女は同市内に、長男は他県に在住している。
キーパーソン	長女（58歳）
入所前の生活状況	中学を卒業後、家業の和菓子屋を手伝っていた。夫とは見合いで結婚し、工場で働きながら男女2人の子育てをしてきた。明るく温和な性格できれい好き、とくに趣味もなく働き者だったそうである。 20年勤めた工場を定年した直後、62歳でパーキンソン病を発症した。身体症状は徐々に進行し、夫の助けを借りて生活していた。10年前に夫が死亡したころから、突然、「昨夜、お父さんがあっちにいたのを見かけた」などと言うようになり、幻覚やうつなど精神症状のため、療養病床への入退院をくり返すようになった。そのあいだ、徐々に全身に廃用症候群が進行、ADLも低下し、在宅での生活が困難になり介護老人福祉施設へ入所することとなった。
入所における本人・家族の要望	入所後、介護を受けながら落ち着いて生活していたが、2年ほど前より誤嚥性肺炎をくり返すようになり、食事摂取量も低下している。本人には食べたいという意思があり、経管栄養については、実際に身近な人が受けているのを見て、「あれはいや」と話していた。 前回の入院の際、主治医より胃ろうの造設をすすめられたが、「いやだ」という本人の意向が尊重された。施設に戻ったとき、家族は「今の状態がいつまで続くかわかりませんが、このままでいいと思っています」と話していた。しかし、最近「これ以上食べられなくなったらどうしよう」と言っている。
その他	

●情報収集シート

1　健康状態、心身機能・身体構造

1	要介護状態区分／障害支援区分	要介護5
2	認知症高齢者の日常生活自立度	認知症高齢者の日常生活自立度：Ⅲa
3	障害の状況（身体・知的・精神）	全身の廃用症候群が進行し、筋肉はやせ細り、四肢・体幹・頸部など全身の関節が拘縮している。自力で肩や肘、頸部などを少し動かすことができる状態。支えがあれば、1時間程度座位保持は可能である。
4	現在のおもな疾患	パーキンソン病、便秘症
5	服薬	パーキンソン病治療薬、緩下剤
6	既往歴	誤嚥性肺炎
7	平常時のバイタルサイン	体温：36.6℃　　脈拍：72回／分　　呼吸：24回／分
8	その他（身長・体重等）	身長：140cm　体重：26.4kg（BMI：13.47）　聴力：左難聴 皮膚：四肢にはよく内出血や皮膚裂傷（スキンテア）が起こり、仙骨部や大転子部も発赤しやすい。

2　活動（日常生活の状況）

		現在の状況（本人の思い）
9	家事	
10	移動	寝返りも困難でポジショニングや移動にはすべて介助が必要である。ティルト式普通型車いすで移動している。本人は、「寝ているほうが楽でいい」と言っている。
11	身じたく	口腔ケアや総義歯の装着、整髪など身じたくはすべて介助が必要であるが、義歯を装着せずに食堂へ移動しようとすると、「入れ歯、入れて」とうながすこともある。また、衣服の着脱時は、肩を動かすなど協力動作がある。
12	食事	食事はフロアで皆といっしょに摂取している。食事形態はソフト食、水分にはトロミをつけて提供されているがむせることがある。「喉が渇いた」「食べたい」と訴えることもあるが、摂取量が少ないため、半量にし、高カロリー補助食品が追加されている。「おいしい」と言うが、ここ1か月の食事摂取量の平均は、朝食はほぼ全量、昼食は2割程度、夕食は3割程度である。温めた牛乳やパンが好物である。
13	排泄	尿意はなく、おむつを使用。緩下剤服用後、摘便で排泄をうながし排便している。「おなかの具合が悪い」とみずから便意を訴え、トイレで排泄することもある。
14	入浴・清潔保持	普通型車いすからシャワーチェアに移動し、洗身・洗髪などすべて介助が必要である。浴槽内には座位姿勢のままリフトで入っている。手指の拘縮が強く、手掌が不潔になりやすい。入浴後は「さっぱりした」と言う。

15	睡眠	昼間もベッド上で過ごすことが多く、目を閉じていることが多い。夜間、訪室時開眼していることがあるがおおむね安眠している。
16	コミュニケーション	みずから話しかけることはほとんどないが、「寒くないですか？」など端的な質問には明確に答える。

3　参加（豊かさ）

		現在の状況（本人の思い）
17	意欲・生きがい	食への意欲は失っておらず、「おいしい」と思っている。
18	余暇の過ごし方	テレビを観ることが楽しみだったが、起きていることが苦痛になり、終日寝ていることが多い。
19	役割（家庭／社会）	定期的に家族の面会があり、娘や息子、孫やひ孫の面会を楽しみにしている。
20	その他	理学療法士による拘縮予防のリハビリテーションは、「もういい」と拒否することが多くなってきた。

4　環境因子

		現在の状況（本人の思い）
21	生活環境	ユニット型の施設で、共同フロアに近い南側に窓のある1人部屋に入居している。室内には洗面台が備え付けてあり、家族が持ちこんだ棚やテレビなどが設置されている。壁には、生まれたばかりのひ孫らの写真が貼ってある。
22	生活に必要な用具	普通型車いす、褥瘡予防マットレスやクッション。
23	経済状況	自分の年金と夫の遺族年金（計12万円/月）を受給している。金融資産もあり、経済的な不安はない。
24	家族関係	長女は毎週面会に来ており、子や孫が帰省しているときはいっしょに訪れる。孫らの名前は覚えていないが、認識しており、いっしょに来たひ孫の顔をじっと見つめている。長男は、お盆休みや年末など長期休暇の際、面会に来る。
25	サービス（制度）の利用状況	ユニット型介護老人福祉施設を利用している。
26	その他	

5　個人因子

27	価値観・習慣	長男の嫁として、嫁ぎ先の家や墓を大事に守ってきた。貧しいながらも豊かに暮らすべく、ずっと仕事をしてきた。働き者であるという自負をもっていたが、子どもの教育にはあまり熱心ではなかった。
28	性格（個性）	がまん強く、温和な性格である。
29	生活歴・出身地	N県の地方出身。8人きょうだいの4番目に生まれる。実家は裕福ではなく、勉強も得意ではなかったため、中学校を卒業し家業を手伝っていた。本を読むことは嫌いではなかったが、字を書くことは苦手だった。
30	特技	裁縫、編み物

31	1日の過ごし方	朝、昼、夕食は、車いすに移乗してほかの利用者といっしょにフロアで摂取している。朝、ベッド上でモーニングケアを受け、おむつ交換は1日6回、2時間おきに体位変換を受けている。 日中、自室のテレビを観ることをすすめると「じゃあ、テレビつけて」と言うが、それほど興味がないようである。 週2回、ベッド上で理学療法士のリハビリテーションを受けている。
32	その他	

● ICFモデルを活用した情報の整理表

健康状態（変調または病気）
- 62歳でパーキンソン病を発症。療養病床への入退院をくり返すあいだに、心身機能が低下した。
- パーキンソン病治療薬、緩下剤を服用している。
- 2年ほど前より誤嚥性肺炎をくり返し、医師より経管栄養をすすめられたことがある。
- 身長：140cm、体重：26.4kg（BMI：13.47）

心身機能・身体構造
- 全身の廃用症候群が進行し、筋肉はやせ細り、四肢・体幹・頸部などの全身の関節が拘縮している。
- 自力で肩や材、頸部などを少し動かすことができる。
- 支えがあれば、1時間程度であれば座位保持可能である。
- 四肢にはよく内出血や皮膚裂傷（スキンテア）が起こり、仙骨部や大転子部も発赤しやすい。
- ソフト食やトロミをつけても水分でもむせることがある。

活動
- 衣服の着脱には協力動作がある。
- 食事はフロアで皆といっしょに摂取している。
- 食事はソフト食、水分にはトロミをつけて提供されているが、「食べたい」「飲みたい」と訴えることもあるため、摂取量が少ないため、半量にし、高カロリー補助食品が追加されている。
- 「おいしい」と言うが、ここ1か月の食事摂取量の平均は、朝食はほぼ全量、昼食は2割程度、夕食は3割程度である。
- 温めた牛乳やパンが好物である。
- 尿意はなく、おむつを使用。緩下剤服用後、みずから便意を訴え、摘便で排便をうながし排便している。トイレで排便することもある。「おなかの具合が悪い」とベッド上で過ごすことが多く、目を閉じていることが多い。
- 昼間もベッド上で過ごすことが多く、目を閉じていることが多い。

参 加
- 定期的に家族の面会があり、楽しみにしている。
- 起きていることが苦痛になり、終日寝ていることが多い。
- 理学療法士によるリハビリテーション防止リハビリテーションは、「もういい」と拒否することが多くなってきた。

個人因子
- 長男の嫁として、嫁ぎ先の家や墓を大事に守ってきた。
- 亡き夫の妻であり、息子、娘の母であり、孫・曾孫の祖母・曾祖母である。
- ずっと仕事を続け、働き者であるという自負をもっていた。
- がまん強く、温和な性格である。
- 前回の入院の際、主治医より胃ろうの造設をすすめられたが、「いやだ」という本人の意向が尊重された。

環境因子
- 1人部屋で、室内には家族が持ちこんだ棚やテレビなどが設置され、壁には孫ひ孫らの写真が貼ってある。
- 年金と金融資産があり、経済的な不安はない。
- 娘、息子ら家族の定期的な面会ができる。
- 家族は経管栄養について、「今の状態がいつまで続くかわかりませんが、このままでいいと思っています」と話していたが、最近「これ以上食べられなくなったらどうしようか」と言っている。

●アセスメント表

利用者の生活像	アセスメント関連番号	情報の解釈・関連づけ・統合化	予測される生活課題
1 人生のどの時期にあって（個人因子） ①Mさん、女性、83歳 ②がまん強く、温厚な性格である。 ③亡き夫の妻であり、息子、娘の母であり、孫・ひ孫の祖母・曾祖母である。 ④前回の入院の際、主治医より胃ろうの造設をすすめられたが、「いやだ」という本人の意向が尊重された。	⑥③⑭⑮⑯	◎ **自立の視点** BMIが低く栄養状態が悪い。食事摂取状況は、朝食はほぼ全量であるが、昼食や夕食の摂取量は2～3割と少ない。すでに必要な栄養を確保すべく食事の量を減らし、高カロリー補助食品を追加しているが、食事摂取は改善していない。これは、食事をおいしいと感じ食べる意欲はあるものの、消化吸収に時間を要し空腹を感じにくくなっているからではないだろうか。食事間隔を開けることで空腹を感じる可能性があると考える。	◎ **自立の視点** 空腹を感じにくくなっているため、昼食と夕食の摂取量が少なくなっている可能性がある。
2 どのような心身の状態で（健康状態、心身機能・身体構造） ⑤2年ほど前より誤嚥性肺炎をくり返し、医師より経管栄養をすすめられたことがある。 ⑥身長：140cm、体重：26.4kg（BMI：13.47） ⑦全身の廃用症候群が進行し、筋肉はやせ細り、四肢・体幹・頸部など全身の関節が拘縮している。 ⑧自力で肩や肘、頸部などを少し動かすことができる。 ⑨支えがあれば、1時間程度であれば座位保持可能である。 ⑩四肢にはよく内出血や皮膚裂傷（スキンテア）が起こり、仙骨部や大転子部も発赤しやすい。	④⑤⑥⑬⑮⑰⑳	◎ **自立の視点** むせることへの対応を講じてもむせを防ぐことがむずかしく、食事摂取量も非常に少ないため、再度栄養法を選択する必要性が高まっている。以前は本人の意向を尊重し経口摂取の継続が選択されたが、最近家族は「これ以上食べられなくなったらどうしよう」と迷いを感じているようである。栄養方法の選択・意思決定を支援する必要がある。 ◎ **快適の視点** 全身の廃用症候群が進行し自力で動くことがむずかしくなっているが、座位を保持すればほかの利用者といっしょに食事をとることができている。また、衣服の着脱時には協力動作がみられる。一方で、がまん強い性格のMさんが、理学療法士による拘縮予防リハビリテーションは、「もういい」と拒否することが多くなり、起きていることが苦痛だと言っているのは、体力がかなり低下していると考えられる。現在の生活を維持するためには、体力的な限界を見きわめ、不必要な消耗を防ぐ必要がある。	◎ **自立の視点** 食事摂取によるむせが改善せず、再度栄養法を選択する必要性が高まりつつある。しかし、家族は選択することに迷いを感じているようである。本人および家族への意思決定支援が必要である。 ◎ **快適の視点** 体力が低下し、身体的な苦痛を感じやすくなっているため、不必要な消耗を防ぐため、介護する必要がある。

| | | | ②⑦⑧⑨⑪
⑫⑱⑲ | | |

3 どのように生活している人なのか（活動、参加、環境因子） ①衣服の着脱には協力動作がある。 ②食事はフロアでといっしょに摂取している。 ⑬食事はソフト食、水分にはトロミをつけて提供されていることがある。 ⑭「喉が渇いた」「食べたい」と訴えることもあるが、摂取量が少ないため、半量にし、高カロリー補助食品が追加されている。 ⑮「おいしい」と言うが、ここ1か月の食事摂取量の平均は、朝食はほぼ全量、昼食は2割程度、夕食は3割程度である。 ⑯温めた牛乳やパンが好物である。 ⑰定期的に家族の面会があり、楽しみにしている。 ⑱起きていることが苦痛になり、終日臥せていることが多い。 ⑲理学療法士による拘縮予防リハビリテーションは、「もういい」と拒否することが多くなってきた。 ⑳家族は経管栄養について、「今の状態がいつまで続くかわかりませんが、このままでいいと思っています」と話していたが、最近「これ以上食べられなくなったらどうしよう」と言っている。	①②③⑰ ⑤⑬ ⑥⑦⑩	体力が低下し生命力が減少してきているMさんにとって、楽しみが少なくなっていることや、家族としての役割や家族とのつながりを感じていることの重要性が増していると考えられる。面会時、家族とゆっくり過ごせるように支援する必要がある。 ◎安全の視点 誤嚥性肺炎の既往歴があり、食事はソフト食、水分にはトロミをつけて提供されているがむせることがあることから、誤嚥性肺炎を再発するリスクが高い。積極的な防止策を講じる必要がある。 皮膚が脆弱なため、軽い圧迫やずれであっても四肢によく内出血や皮膚裂傷（スキンテア）が起こっている。加えて栄養状態も悪く、褥瘡ができやすくなっている状態であると考えられる。積極的に予防する必要がある。	家族としての役割や家族とのつながりを感じ続けられるようにすることが、Mさんの尊厳の保持につながる。 ◎安全の視点 誤嚥性肺炎を再発するリスクが高く、積極的に予防する必要がある。 内出血や皮膚裂傷（スキンテア）、褥瘡を生じるリスクが高く、積極的に予防する必要がある。

●介護計画書

長期目標（期間：6か月）：好きなものを食べ、家族とのつながりを感じながら苦痛なくおだやかに生活する。

課題	短期目標	（期間）	（内容）	具体的な支援内容・方法（方法）	頻度
体力が低下し、身体的な苦痛を感じやすくなっているため、不必要な消耗を防ぎ、介護する必要がある。	今ある力を使って消耗を防ぎ体力を温存する。	3か月	体力的な限界を見きわめ不足ない介助を実施する。	・その時々の体調から姿勢や表情をよく観察する。 ・介助量が軽減するよう協力動作をうながす。 ・消耗がみられるときは、介助を増やす。	
空腹感じにくくなっているため、昼食と夕食の摂取量が少なくなっている可能性がある。	おいしく食べて1日の食事摂取量が増える。	1か月	食事と食事の間隔を広げ、空腹を感じられるようにする。	・食事と食事の間隔を広げて提供する。 ・空腹感、満腹感を観察する。	
家族としての役割や家族とのつながりを感じ続けられるようにすることが、Mさんの尊厳の保持につながる。	母として、祖母・曾祖母として尊重される。	1か月	家族とゆっくり過ごせるようにする。家族がより介護に参加できるようにはたらきかける。	・面会時、家族がゆっくり過ごせるよう環境を整える。 ・家族にMさんに適した衣類についていっしょに考えてもらい、協力を依頼する。	
誤嚥性肺炎を再発するリスクが高く、積極的に予防する必要がある。	誤嚥性肺炎の再発を防ぐ。	3か月	誤嚥性肺炎の再発を防ぐ。	・口腔ケアを徹底し、口腔内を清潔に保つ。 ・前傾姿勢を確認する。 ・食べるペースを見きわめ、嚥下を確認する。 ・食後、30分程度座位を保つ。 ・むせるなど誤嚥の徴候がみえたら中止し、時間を置いて再開する。	
内出血や皮膚裂傷（スキンテア）、褥瘡を生じるリスクが高く、予防する必要がある。	内出血や皮膚裂傷（スキンテア）、褥瘡をつくらない。	3か月	皮膚の打撲、圧迫、ずれ、摩擦を避ける。	・衣服を肌を刺激しない素材で着脱しやすいものにする。 ・皮膚を清潔に保ち、よく観察する。 ・移動や移乗、着脱などは慎重に行う。	
食事摂取によるむせが改善せず、再度栄養法を選択する必要がある。	よりよい栄養法の選択ができる。	6か月	よりよい栄養法の選択ができるよう支援する。	・可能であれば本人の意向を確認する。 ・家族の思いを聞き、意向を確認する。	

要性が高まりつつある。しかし、家族は選択することに迷いを感じているようである。本人および家族への意思決定支援が必要である。

● 実施評価表

実施状況	評価
・今ある力を使いつつ、消耗を防ぎ体力を温存する。 着替えの際、消耗を防いでくださいとMさんの動きを待つものの、腕を伸ばしながら動作をうながすこともあった。また、日によっては、ほとんど腕を動かすことができないこともあった。Mさんにあわせて介助方法を変えた。食事前フロアへの移動方法は、30分を目安にベッド下へ移動するようにしたが、30分が経過するうちにもう姿勢がくずれはじめ、目を閉じてつらそうなこともあった。そのため、食事開始直前にフロアに移動することにした。その結果、おおむね30分程度は食後座位を保持することができた。	着脱などの際、Mさんの疲労を確認し体力的な限界を見きわめながら介助方法を変え、食事前フロアへの移動時間を直前にすることで、体力を温存することができた。一定時間座位を保持するのではないかと思う。食後は誤嚥のリスクもあり、今後必要に応じて、現在の普通型車いすではむずかしくなりつつあるため、今後は、ティルト式リクライニング型車いすへの変更や、ベッド上に移動したあとファーラー位にするなど方法の検討が必要である。
・おいしく食べて1日の食事摂取量が増える。 まず、1週間、昼食を12時から30分ろくずらし提供してみた。しかし、食事摂取量にはほとんど変化はなかった。そのための2週間目より1時間遅らせることとした。その結果、「おなかが空いた」と空腹感を訴え、摂取量は平均6割を超えた。しかし、今度はおやつや夕食との間隔が短くなり、摂取量が少し減少した。また、ほかの利用者といっしょに食事をとる機会が少なくなり、1人で食事をすることになってしまった。	昼食の時間を遅くした結果、昼食の摂取量は増え、計画の効果はあったと評価できるが、おやつや夕食に影響してしまった。職員の勤務体制の制約もあるが、総合的に食事提供時間を検討しなければならない。また、食事時間をずらすと、ほかの利用者といっしょに食事ができなくなることについては、計画の段階では気づかなかった。おいしく食べることの要素には、Mさんがほかの人といっしょに食べることも含まれると考える。この部分については、Mさんのペースを重視する観点から検討を要すると考える。
・母として、祖母として尊重される。 面会時、Mさんの近況を報告し、家族がゆっくり過ごせるよう、居室に面会者各人数分のいすを置いた。また、関節の拘縮が強く、着脱がむずかしくなっていること、皮膚が脆弱なため、軽い圧迫や擦れでも四肢によく内出血や皮膚裂傷（スキンテア）が起こりやすくなっているが、Mさんが好む服で、肌触りがよく着脱しやすい衣服についていっしょに考え、家族には「明るい色が好き」などといっしょに衣類を購入してくださった。後日購入した衣類を持参してくださった。	家族の滞在時間が増えたためかどうかはまだ明確にはなっていないが、肌触りがよく、Mさんに適した衣類をいっしょに考え、準備してもらうことはできた。これは、家族が間接的に介護に参加する機会となったと評価できる。Mさんの残された時間がどれぐらいあるのかわからないが、今後も、身づくろいなど負担にならない程度介護に参加してもらうことが大切だと考える。
・誤嚥性肺炎の再発を防ぐ。 体調や空腹感によって食べるペースが異なり、咀嚼、嚥下に時間がかかるようになっていた。摂取量によらず「まだ食べられますか？」「もういらないですか？」と必ず問うようにした。結果、無理せず、食事を中止することも増えたが、むせることは	食べたくないのに無理して食べることやむせている状態で食べることを防ぐことができた。職員は、摂取量が少ないと不安になり、ついつい無理をしてしまう傾向にあるため、このように計画的に取り組んだことは、誤嚥性肺炎の再発防止には効果

減ったようである。また、Mさんはむせながらも「まだ食べる」と言うこともあったが、「もうしばらくしてからにしましょうか」と時間を置いて介助を行った。

・内出血や皮膚裂傷(スキンテア)、褥瘡をつくらない。
おむつ交換や着脱介助のとき、毎回皮膚の観察を行った。また、皮膚をねじったり引っぱったりしないよう、慎重に介護を実施した。今回、新たに家族が準備してくれた伸縮性のある生地で、脇や袖にゆとりがある衣類を着用することができるようになり、Mさんも「きれいな色」とうれしそうで着心地もよさそうであった。

・よりよい栄養法の選択ができる。
経管栄養法の選択、意思決定については、このあいだMさん本人に確認することは機会もなくできなかった。また、家族についても、どのように考えているのか話を聞く機会はなかった。

があったと考える。

家族の協力により、着脱時、衣類に引っかかりがちだった前腕部の皮膚の負担は軽減し、内出血や皮膚裂傷(スキンテア)のリスクは軽減したと思われる。今のところ新たな皮膚トラブルは生じておらず、今後も継続して慎重な介護の実施が必要である。

Mさんの意思確認については、現在の認識から考えるとかなりむずかしそうである。少し元気だったころ、何か話していなかったかなど、職員から情報を集めることも必要である。家族については、今後食事摂取量が低下したり、体調が悪くなったりしたときに確認することが望ましいと考える。

気づいたこと(新たな課題や可能性)

これ以上に体力を低下させないよう食事摂取量を増やそうと無理をすると、結果的に体力を消耗し、誤嚥性肺炎の再発リスクが高くなってしまう。体力が低下し、生命力が減少しつつあるMさんの介護では、自立の視点や快適の視点、安全の視点で何を優先すべきかジレンマが生じ、介護の方向性を導き出すことがとてもむずかしかった。本人の意思を尊重することはもちろんだが、総合的に判断することが必要となる。

また、この段階では近い将来の看取りを見すえ、家族との関係を重視することも重要である。もっとこうしておけばよかったという悔いが残らないよう、可能な限り家族の介護への参加をうながすなど、早めにはたらきかけていくことも重要ではないかと思う。

第 4 章

介護過程と
ケアマネジメント

第 1 節　**介護過程とケアマネジメントの関係性**

第 2 節　**チームアプローチにおける介護福祉士の役割**

第 1 節

介護過程とケアマネジメントの関係性

学習のポイント
- ケアマネジメントとは何かを理解する
- ケアプランとは何かを理解する
- ケアプランと個別援助計画の関係性を理解する

関連項目	④『介護の基本Ⅱ』 ▶ 第2章第2節「生活を支えるフォーマルサービス（社会的サービス）とは」
	⑤『コミュニケーション技術』 ▶ 第5章「介護におけるチームのコミュニケーション」

1 ケアマネジメントの全体像

1 ケアマネジメントとは

　けがや病気などで医療サービスが必要になると人々は、医師の診察を受け、治療を受けます。その後、医師の指示に従い服薬やリハビリテーション、看護サービスなどが提供されます。

　では、介護を必要とする人はだれに相談すればよいのでしょうか。

　介護を必要とする人を支えるための介護サービスやボランティアなどの**社会資源**は数えきれないほど存在します。多くの社会資源のなかから、介護を必要とする人がみずから適切な社会資源を選び、利用することは大変むずかしいでしょう。とくに介護のことに詳しくない利用者自身がそれを考えることは困難です。そこで、さまざまな社会資源を利用者の状態像にあわせ、適切に利用するための方法が必要です。その方法のことを**ケアマネジメント**といいます。

　けがや病気になるとまずは医師の診察を受けますが、ケアマネジメン

トではケアマネジャーという専門職が、介護を必要とする人の生活上の困りごとを探り、その解決に向けてどのような種類の社会資源をどのような頻度で提供すればよいかを考え計画します。

介護福祉職が所属する介護老人福祉施設での介護福祉サービスや訪問介護サービスなども、ケアマネジメントにもとづいて提供される介護サービスの1つです。

日本の介護保険制度上では、ケアマネジャーは介護支援専門員、障害者の日常生活及び社会生活を総合的に支援するための法律（以下、障害者総合支援法）上では相談支援専門員と呼ばれています。

2 ケアマネジメントの理念・目的

ケアマネジメントは、利用者の「その人らしい生活」の継続ができるように支援することが目的です。

利用者のアセスメントを行い、課題（ニーズ）を導き出したら、自己決定を尊重し、利用者主体の考え方で生活上の目標を設定します。

これは、「介護の基本」や本書の第1章で学んだ「介護福祉の理念」と同じものです。介護支援専門員（ケアマネジャー）であっても介護福祉職であっても同じ理念・目的にもとづいて支援を行います。

3 ケアマネジメントの構成要素

ケアマネジメントを構成する要素としては、「利用者」「社会資源」「ケアマネジャー」の3つがあげられます（図4−1）。このうち1つ目の要素である利用者は、日常生活を継続していくうえで、何らかの支

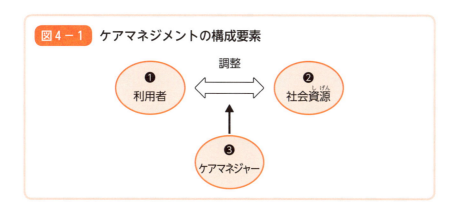

図4−1 ケアマネジメントの構成要素

援を必要とする人をさします。2つ目の要素である社会資源には、制度として整備されているフォーマルサービス（介護保険法や障害者総合支援法などの各種のサービス）と、家族や友人、ボランティアなど利用者の個人的な資源であるインフォーマルサービスの2種類があります。利用者がその人らしい生活を継続していくためには、フォーマルな資源とインフォーマルな資源がきめ細かくケアプラン（介護サービス計画（居宅サービス計画または施設サービス計画）やサービス等利用計画）に組み込まれなければなりません。3つ目の要素としては、調整役としてのケアマネジャーがあげられます。たとえ社会資源が充実していたとしても、利用者のニーズに応じてサービスを調整するケアマネジャーがいなければ、利用者の多くは複雑な制度のしくみや利用方法に関する知識が十分でないために、社会資源の活用ができず、生活の継続は困難になります。

4 ケアマネジメントの流れ

ケアマネジメントは、図4-2に示すようなプロセスにそって行われます。ここでは、介護保険制度による居宅サービスを利用する場合を例に説明します。

介護保険制度において保険給付を受けるためには、利用者がサービス利用の申請を行い、**要介護認定**[1]を受け、介護支援専門員にケアプラン（ここでは、居宅サービス計画）の作成を依頼する必要があります。利用者の申請を受けた市町村は、全国一律の基準である「要介護認定基準」にもとづき要介護認定・要支援認定を行います。認定の結果、「要介護1～5または要支援1・2に該当する」と認定されると、状態に応じた保険給付を受けることが可能になります。

ケアプラン（居宅サービス計画）作成の依頼を受けた介護支援専門員は、まず、利用者がこの要介護認定を受けているかどうかを確認します。認定を受けていなければ申請の支援を行い、すでに認定を受けていれば、必要事項の確認等を行ったうえで利用者の了解をえて契約を結ぶことになります。

１ インテーク（相談・受理）

インテークは、「受理面接」ともいわれ、利用者および家族と介護支援専門員が相談のためにはじめて出会う場です。ここで支援を必要

---

❶ 要介護認定
介護保険制度において、保険給付を受けようとする被保険者の申請により行われる手続きで、要介護状態または、要支援状態にあるとの認定を行うこと。認定調査の結果や、主治医意見書等にもとづく介護認定審査会の審査判定を経て、市町村により認定される。

第 1 節　介護過程とケアマネジメントの関係性

図4－2　ケアマネジメントの流れ（介護保険制度）

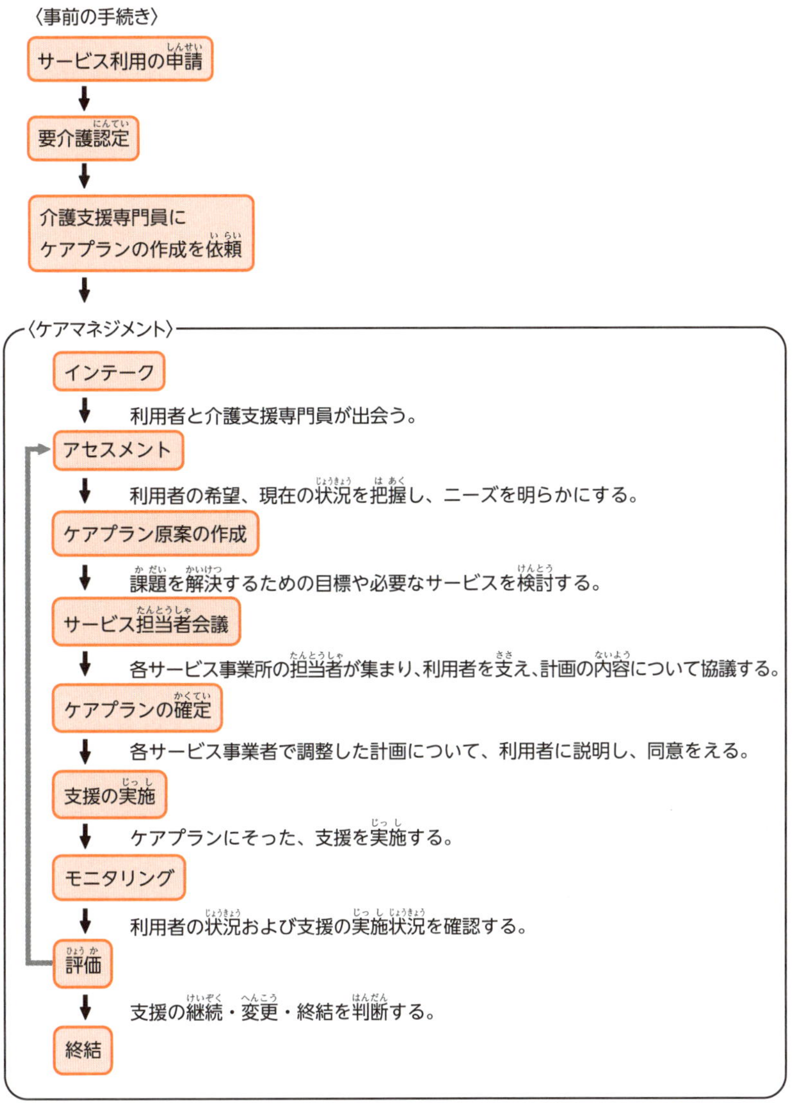

〈事前の手続き〉
- サービス利用の申請
  ↓
- 要介護認定
  ↓
- 介護支援専門員にケアプランの作成を依頼
  ↓

〈ケアマネジメント〉
- インテーク
  ↓　利用者と介護支援専門員が出会う。
- アセスメント
  ↓　利用者の希望、現在の状況を把握し、ニーズを明らかにする。
- ケアプラン原案の作成
  ↓　課題を解決するための目標や必要なサービスを検討する。
- サービス担当者会議
  ↓　各サービス事業所の担当者が集まり、利用者を支え、計画の内容について協議する。
- ケアプランの確定
  ↓　各サービス事業者で調整した計画について、利用者に説明し、同意をえる。
- 支援の実施
  ↓　ケアプランにそった、支援を実施する。
- モニタリング
  ↓　利用者の状況および支援の実施状況を確認する。
- 評価
  ↓　支援の継続・変更・終結を判断する。
- 終結

とする利用者の状況など、必要事項を確認したうえで制度上利用できるサービスなどを説明し、サービスを利用する旨の了解をえて、契約を結ぶことにより支援が始まります。

2 アセスメント（課題分析）

　利用者の希望、日常生活上の能力（可能性）や介護者の状況、生活環境などさまざまな情報を収集し、分析することにより、利用者が家庭や地域でその人らしい自立した日常生活を営むために解決すべき課

題を明らかにします（ニーズの把握）。アセスメントは、「課題分析」や「事前評価」ともいわれます。

3 ケアプラン（居宅サービス計画）原案の作成

利用者およびその家族の希望をふまえ、アセスメントにより明確になった、利用者に今起こっていることや困っていることに対してどのような解決方法があるかを検討します。具体的には、目標や必要なサービスを相談・検討し、ケアプラン（居宅サービス計画）原案を作成します。

4 サービス担当者会議

サービス担当者会議では、ケアプラン（居宅サービス計画）原案に組み込まれた各種のサービス事業所の担当者が集まり、利用者や家族とともに、計画の内容について協議します。サービスの提供においては、さまざまな職種がチームとして連携し、利用者の目標達成に向けて支援を実施することが重要です。そのため、どのような目標に向かって支援するかの意思統一をはかります。

5 ケアプラン（居宅サービス計画）の確定

サービス担当者会議を経て調整したケアプラン（居宅サービス計画）について利用者・家族に説明し、内容について同意をえます。利用者・家族の同意をえることができてはじめてケアプラン（居宅サービス計画）として確定します。

6 支援の実施

介護支援専門員が立案するケアプラン（居宅サービス計画）にそって各サービス事業所は、個別援助計画（「介護計画（訪問介護計画）」や「通所リハビリテーション計画」「訪問看護計画」など）を立てて支援を実施することになります。ケアプラン（居宅サービス計画）と各事業所の立てる個別援助計画は、共通の目標のもとに作成され、連動しながら支援を実施することになります。ここで訪問介護事業所の介護福祉職等は利用者と出会い、介護過程を展開することになります。

7 モニタリング

介護支援専門員は、ケアプラン（居宅サービス計画）に位置づけた目標の達成に向けて、①計画どおりに支援が実施されているか、②目標に対する達成度はどうか、③サービスの種類や支援内容・支援方法は適切か、④利用者に新しい課題や可能性が生じていないか、⑤サー

第1節　介護過程とケアマネジメントの関係性

ビスの質と量に対する利用者・家族の満足度はどうかを確認します。この**モニタリング**❷をくり返すことによって介護支援専門員が、継続的に利用者の生活全体について責任をもつことになります。

8 評価

モニタリングの結果およびケアマネジメントのプロセス全体を評価し、利用者の状況に応じて支援の継続・変更・終結を判断します。ケアプラン（居宅サービス計画）の修正・変更が必要な場合には、再度**アセスメント**を行い、ケアマネジメントのプロセスをくり返すことになります。

❷モニタリング
介護保険制度においては、介護支援専門員は少なくとも1か月に1回は利用者の居宅で面接を行い、モニタリングの結果を記録することが必要とされている。

2 ケアプランと個別援助計画の関係性

1 ケアマネジメントと介護過程

「介護過程」はケアマネジメントで決定した方針にそって展開されます。

介護支援専門員は、居宅であっても施設であっても、利用者の生活上の困難がどこから派生し、どのような方針で支援すればよいかという総合的な援助の方針を利用者と相談しながら決定します。アセスメントにおいては、利用者の身体的・精神的な健康状態、ADL（Activities of Daily Living：日常生活動作）能力、経済状況、家族の状況、介護状況、本人や家族の価値観や対人関係能力、近隣や友人との関係、住環境など幅広い情報を入手し、利用者や家族が今困っている問題を把握してニーズを導き出します。利用者1人ひとりの個別的な状況から、利用者自身が、どこでどのような生活を送ることを望んでいるのかを知り、目標を設定します。

たとえば、利用者が脳出血で倒れ、急性期の病院で治療を受けたあと、退院したとします。担当の介護支援専門員は、アセスメントを行い、必要な支援について利用者や家族と相談して決定します。リハビリテーションの継続が必要であれば、通所リハビリテーションか訪問リハビリテーションのうち利用者の希望や状態に応じて、より適切なほうを計画します。また、家族の状態から家事などの生活を支える必要性があ

れば、訪問介護（ホームヘルプサービス）を検討します。生活の隙間を支えたり、生活に潤いを与えたりするためにボランティアの支援を検討することが必要な場合もあります。さらに、利用者に高血圧症があって、健康管理・服薬管理・栄養管理などの専門領域のサービスが必要であれば、訪問看護や居宅療養管理指導❸などの活用を検討します。

ケアプランに位置づけられたサービスを提供する事業者（施設の場合は「職種」）は、ケアプランの目標達成に向かって支援を実施します。このとき介護福祉職の場合は介護過程を展開することによって、介護計画（個別援助計画）を立案し、目標の達成に向けてより個別的な支援を実施します。ケアマネジメントと介護過程の関係は、図4－3に示すとおりです。

❸**居宅療養管理指導**
介護保険制度におけるサービスの1つで、居宅要介護者について、病院、診療所などの医師、歯科医師、薬剤師、歯科衛生士、管理栄養士などにより行われる療養上の管理および指導をいう。

2 ケアプランと個別援助計画

ケアプランを「大きな歯車」にたとえると、各専門職が作成する個別援助計画は「小さな歯車」に該当します。大きな歯車を目標に向かって正確に回転させるためには、複数の小さな歯車が正確に回転する必要があります（図4－4）。

個別援助計画では、ケアプランを受けて、その目標を達成するために、より具体的・より専門的な計画を立案します。たとえば、ケアプランに「クラブ活動参加のために声をかける」という支援が位置づけられたとします。この支援内容を受けて、介護福祉職はどのように声をかければ、利用者の「参加したい」「参加してみよう」といった意欲を引き出すことができるのかを検討して介護計画に位置づけます。「○○さんがお待ちですよ」と別の利用者のことを伝えると気持ちが動く人もいるでしょう。「○○のご準備をお願いします」と具体的に何らかの役割をになってもらうことで意欲が出る人もいます。このような視点は、利用者とともに過ごす時間がもっとも長く、もっとも近い存在である介護福祉職ならではの視点であるといえます。

介護計画の立案においては、その計画がケアプランとどのようにリンクし、介護福祉職としてどのような役割を果たすことが求められているのかを意識し、目標達成のために「いつ」「どこで」「だれが」「何を」「どのように」「どのくらい」実施するのかを具体的に計画する必要があります。その結果、介護福祉職間での支援のばらつきや、他職種との

第1節 介護過程とケアマネジメントの関係性

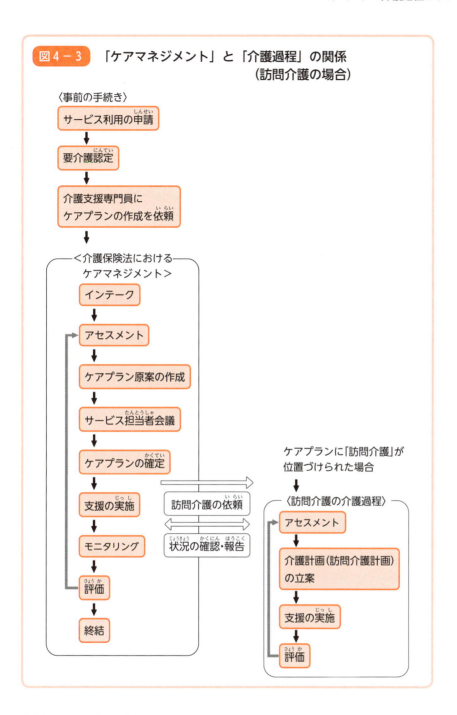

図4-3 「ケアマネジメント」と「介護過程」の関係（訪問介護の場合）

　意識のくい違いを防ぎ、1人ひとりの利用者に対して、個別的で、なおかつ標準化されたサービスを提供することが可能になります。

　それぞれの職種が個別援助計画にそって支援を実施する過程で、利用者の状況に変化が起こった場合は、職種内の連携だけでなく多職種の連携が必要になることもあります。たとえば、利用者に腰痛が発症し、トイレでの排泄の自立に向けた支援を一時的におむつ使用に変更せざるを

図4-4 ケアプランと個別援助計画の関係

えない場合を考えてみましょう。

　利用者の腰痛に気づいた介護福祉職は、排泄の自立に向けた支援を中断し、一時的におむつを使用することについて、勝手に判断し、実施してはいけません。介護計画だけを変更してしまうことは、図4-4に示す「介護計画」の小さな歯車の動きだけを変更することになりますが、全体の調整をしなければ大きな歯車を回転させ、利用者の目標達成に向かって動かすことはできません。場合によっては、目標達成どころか逆回転してしまうかもしれません。

　利用者の状況に関する情報を介護支援専門員に提供し、多職種で共有することによって、たとえば、リハビリテーションの内容を下肢筋力の増強から腰痛緩和を目的としたものへと適切に変更することが可能になります。また、一時的に運動量が低下するために、便秘傾向が強まる可能性があるため、食事への配慮が必要であれば栄養士と連携し、食事内容を検討し、迅速に対応することができます。チームケアにおいては、正しい情報を迅速に共有し、支援にいかしていくことが利用者の生活を支えるために重要となります。

このようにケアプランと個別援助計画は、大きな歯車と小さな歯車との関係でお互いに情報を共有し、うまくかみ合わせることによって、はじめて「目標達成」に向けて進むことができるのです。利用者の望む生活の実現に向けて個別性の高いケアを実践するためには、ケアプランの目標・内容を正確に把握し、利用者を中心に各専門職が同一目標に向かって連携しながら支援する**チームケア**、**チームアプローチ**が重要となります。

3 チームとして介護過程を展開する意義

　利用者の生活は当然ながら24時間継続しています。介護福祉職はその生活の全部ではなく、一部を支援しています。また、1人の利用者に複数の介護福祉職が曜日や時間ごとに交代して、介護サービスを提供しています。

　そして、何人かで介護を行う以上、各介護福祉職がそれぞれ別々の介護を行うわけにはいきません。

　つまり、ケアマネジメントと同じように、同職種（同サービス）内においてもチームアプローチが必要となります。

　介護福祉職は、サービス担当者会議に出席することがあります。その立場は、実際の介護サービスを提供する事業所、たとえば、訪問介護事業所やグループホーム（認知症対応型共同生活介護）の代表ということになります。つまり介護福祉職は、ケアプランの方向性を介護サービスの代表として最初に知る人物となります。

　実際の介護サービスはケアプランをふまえて作成される個別援助計画にもとづいて提供されるため、ケアプランと個別援助計画は連動していなければなりません。

　そのため、介護福祉職は、個別援助計画をケアプランとうまくかみ合わせると同時に、ケアプランで立てられた支援の方向性を自事業所の職員に情報提供する必要があります。

　チームで1人の利用者を支援することは、時間的・物理的な壁を乗り越え、切れ目なく、きめ細かい介護サービスを提供できるという意義があります。そのようなサービスを提供するためには、ケアプランと整合性のとれた個別援助計画の意義や内容をチームメンバーがしっかりと理解し、全員が計画にそった支援を行う必要があるのです。

4 ケアカンファレンスの意義

　チームメンバー全員が計画にそった支援を行うためには、情報を共有し、課題を検討する必要があります。その手段の1つとしてケアカンファレンスがあげられます。

　ケアプランや個別援助計画は書式に記載されているため、閲覧をすることで内容を確かめることができます。しかし、個別援助計画の裏には、その計画にいたるまでの経過や背景、利用者自身や計画作成者などがとくに強調したいことなど、書式を読むだけでは感じとれない大切な情報が存在します。

　直接顔をあわせて開催されるケアカンファレンス（立案カンファレンス）では、これらの計画書にあらわれない微妙なニュアンスなど「直接聞く（見る）からこそわかる」要素を感じとることができます。

　また、不明なことなどを質問し、議論することで計画の精度がよりいっそう高まると同時に、チームメンバー全員が「この利用者を支援するのだ」という一体感もえることができます。

　さらには、介護を実施し一定期間がたったあと、当初の個別援助計画に照らして利用者の生活課題がどの程度解決に向かっているかなど、介護計画と実施状況の評価をする際もケアカンファレンス（評価カンファレンス）を開催することは有効です。

　これも、直接顔をあわせて情報の共有と議論をすることで、実施記録だけからはわからない生の情報をえることができ、効果的な介護過程の展開につながります。

　このように、ケアカンファレンスの開催は、単に情報を共有するだけでなく、さまざまな意義をもっているのです。

◆ 参考文献
- 白澤政和・橋本泰子・竹内孝仁監『ケアマネジメント講座1　ケアマネジメント概論』中央法規出版、2000年
- 竹内孝仁・白澤政和・橋本泰子監『ケアマネジメント講座2　ケアマネジメントの実践と展開』中央法規出版、2000年
- 白澤政和『介護保険とケアマネジメント』中央法規出版、1998年

演習4-1　ケアマネジメントと介護過程の関係

次の文章の空欄に入るもっとも適切な語句を語群から選んでみよう。

　介護支援専門員は、利用者の「その人らしい生活」の ① をめざして、さまざまな ② のなかから適切なものを選び利用できるように調整するなどしてケアプラン（介護サービス計画）を ③ する。そして、一定期間を経て、各種サービスを提供したことによる利用者への影響を評価する。この過程が ④ である。

　また、ケアプラン作成においては、具体的な ⑤ が設定され、それに必要な内容、各種サービスが選択される。そこでは、介護福祉職がになう生活 ⑥ は、ケアプランの目標を ⑦ するために必要とされるいくつかの ⑧ のうちの1つということになる。介護福祉職はこれをもとに介護過程を ⑨ することになる。つまり、介護過程は、ケアマネジメントの ⑩ にそって立案されたケアプランの目標を達成するための ⑧ となる。

語群

立案	手段	目的	介護	継続
ケアマネジメント	社会資源	目標	展開	達成

第2節 チームアプローチにおける介護福祉士の役割

学習のポイント
- チームアプローチにおける介護福祉士の役割と重要性を理解する
- チームアプローチにおける利用者支援の実際を理解する

関連項目		
	④『介護の基本Ⅱ』	▶ 第4章第1節「多職種連携・協働の必要性」
	⑤『コミュニケーション技術』	▶ 第5章「介護におけるチームのコミュニケーション」
	⑬『認知症の理解』	▶ 第6章「認知症の人の地域生活支援」
	⑭『障害の理解』	▶ 第4章「連携と協働」

1 チームアプローチの意義

1 チームアプローチの必要性

利用者の生活を支える活動は、先に述べた**ケアマネジメント**のプロセス（図4-2参照）にそって行われます。したがって、そこには利用者を中心とした**ケアチーム**が形成され、**チームアプローチ**（図4-5）が実践されることになります。

ここで、なぜ「介護」においてチームアプローチが必要とされるのかを考えてみたいと思います。

専門職がそれぞれの役割を果たしていたとしても、各専門職間の連携がとれていなければ、利用者の生活はよりよい状態にはなりません。たとえば、医師が利用者に「心臓が弱っているので、今は少し安静にしておくように」と指示したとします。それに対して、もしもリハビリテーションスタッフや介護福祉職がその情報を十分に把握していなければ、「家にひきこもってばかりでは、廃用症候群になってしまう」と散歩に

第2節 チームアプローチにおける介護福祉士の役割

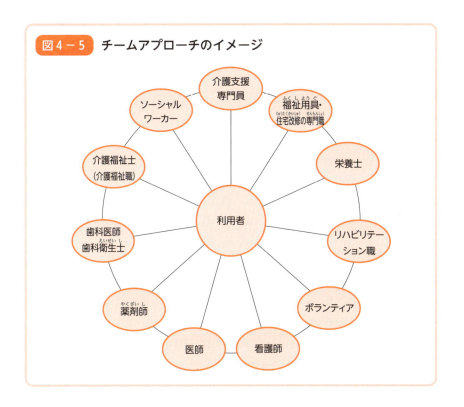

図4-5 チームアプローチのイメージ

誘ったり、関節を動かすことをすすめたりするかもしれません。そうなると利用者は、安静にしたらよいのかからだを動かしたほうがよいのか迷ってしまいます。したがって、専門職のあいだで、十分に情報を共有し、それぞれの専門性を発揮することが重要となります。

人の生活は多面的であり、健康上の問題、経済的な問題、人間関係や心理的な問題、教育や就労の問題、住居の問題など、数えあげればきりがないほど複合的な要素から成り立っています。したがって、1つの職種だけでは解決できない問題、1つの職種だけでかかわるよりも、多職種でかかわるほうがより適切な支援が可能になる状況が多くあります。つまり、介護福祉職や介護支援専門員（ケアマネジャー）だけではなく、医療職、栄養士、生活保護担当のケースワーカー、特別支援学校の教員、ハローワークの職員や障害のある人の就労支援を行う**ジョブコーチ（職場適応援助者）**❶、借家の家主、地域のボランティア、福祉用具や住宅改修の専門職など、さまざまな関係者が利用者のニーズに即して支援体制を組み、ネットワークが強化されることにより、「総合力」が発揮され、問題解決に向けた大きな効果が期待できるのです。

介護老人福祉施設に入所しているAさんの事例を用いて、もう少し具

❶ジョブコーチ（職場適応援助者）
障害のある人が一般の職場で働くことを実現するために、障害のある人が就労するにあたり、できることとできないことを事業所に伝達するなど、障害のある人と企業の橋渡し役をになう者。障害のある人の就労全般について、障害のある人と企業の双方を支援する。

体的に考えてみましょう。

事例1

Aさんの担当の介護福祉職が「最近食べ残しが多くなったこと」に気づきました。気になって体重を測定してみると1か月で3kgも減少していました。すぐに看護師に相談したところ、医師の指示により採血などの検査が行われましたが、とくに異常はありませんでした。Aさん自身も「どこも痛くない、どこも悪くない」と答えています。そこで介護福祉職は、「好きなものであれば、食べていただけるのではないか」と考え、Aさんの好みにあわせて栄養士に献立の変更を依頼したところ、Aさんは喜んでくれましたが、食事量の増加はみられませんでした。

あるとき介護福祉職が、Aさんの食事の様子を注意深く観察していたところ、食べ物を口に入れてかむ際に、顔をしかめるような表情をすることに気づきました。「もしかしたら入れ歯が合っていないのではないか……」と思い、介護支援専門員に相談し、早速、歯科医師の診察を受けることになりました。この受診によって、長年使っているうちに歯ぐきと入れ歯が合わなくなっていること、また上顎部の歯肉に小さな潰瘍ができており、その痛みのために食欲がなくなっていることが考えられました。入れ歯の調整と潰瘍の治療を行った結果、Aさんの食欲は少しずつ戻り、体重も徐々に増加していきました。

このように、介護福祉職の気づきをほかの職種に情報提供することで、はじめて課題の原因が明らかになり、適切な対応が可能になって、利用者のQOL（Quality of Life：生活の質）を維持・向上させることができます。この事例では、食事の摂取量が減ってきたことに気づき、看護師に相談して必要な検査を行った結果、異常がないことがわかりましたが、もちろん重篤な疾患が発見される場合もあります。また、高齢者では、疾患の症状がはっきりとあらわれない場合や痛みや倦怠感などの自覚症状をはっきり表現しない、または表現できない場合も少なくありません。したがって、利用者の生活にもっとも近い介護福祉職には、「ふだんとは何か違う」という小さな変化を見逃さない気づきの力と介護支援専門員や看護師、医師などの関係職種と十分な連携をとることが求められます（図4-6）。

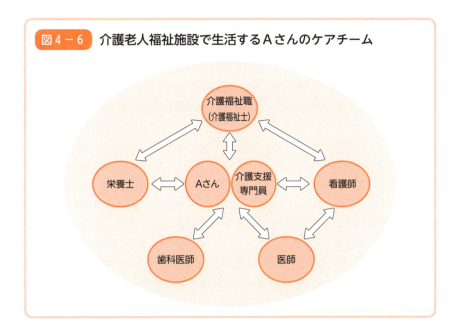

図4-6 介護老人福祉施設で生活するAさんのケアチーム

　介護福祉職の初期の気づきにより、利用者の健康（生命）や生活が大きく影響されるということを十分に理解しておく必要があります。

2 チームにおける介護福祉職の役割

　チームで利用者の生活を支える場合、とくに介護福祉職は、利用者の生活にもっとも近い存在であることから、利用者の変化にいち早く気づき、介護支援専門員や医師、看護師、栄養士、リハビリテーションスタッフなどにつなぐタイミングを的確に判断できることが求められます。
　脳梗塞の後遺症のために片麻痺があるBさんと家事が苦手な88歳の夫の2人暮らしの家に、ホームヘルパーが毎日訪問している事例で考えてみましょう。

事例2

　Bさんのケアプラン（居宅サービス計画）には、家事などの生活支援と入浴介助が位置づけられています。ある日、10時にホームヘルパーが訪問すると、いつもはテレビの前のいすに座ってテレビを観て

いるBさんが、ベッドに入ったままうつらうつらしていました。ホームヘルパーは気になって話しかけてみましたが、会話はふだんどおり適切に交わすことができました。念のため夫に「昨日から変わったことはありませんか」とたずねてみましたが「特別変わったことはない」と言い、体温や脈拍などのバイタルサインの変化もみられませんでした。ただ、その日は入浴が予定されていましたが、Bさんが「今日はやめておきます」とくり返したため、夫、事業所と相談して中止しました。

14時にはかかりつけ医の訪問診療が予定されていたので、何かあれば医師が対応するだろうと思い、ホームヘルパーは、次の訪問先に向かいました。ただし、念のため担当の介護支援専門員にBさんがいつもと違う様子であり、予定していた入浴を中止したことを伝えておきました。

介護支援専門員は、ふだんから利用者の「いつもの生活」「いつもの様子」をもっとも知っているホームヘルパーが「いつもと違う」と感じたときの変化の情報を大切に考えていました。そこで時間を調整して17時前にBさん宅を訪問しました。するとBさんは、ベッドのなかでゴーゴーと大きないびきをかきながら意識を失っている状態でした。一方、夫は、Bさんの変化に気づかず庭に出ていました。介護支援専門員は、かかりつけ医が留守だったので、すぐに救急車を呼び、Bさんは一命をとりとめることができました。14時ごろに訪問した医師によると、この時点では、脈拍、血圧、心音などにとくに異常はなかったため、10分程度で訪問診療を終えたとのことでした。

このように、利用者の生活にもっとも近く、もっとも高い頻度でかかわる介護福祉職には、観察力、連携のための判断力が求められます。

3 専門職の視点

ある多職種合同の研修で、ケアプランを作成するグループ演習を行いました。このとき、看護職のグループ、介護福祉職のグループ、ソーシャルワーカーのグループというように、あえて同じ職種でグループ分けをしてみました。同じ事例を用いて、グループごとにアセスメントを行い、ケアプランを作成して発表したのですが、その内容にはそれぞれの職種の特徴があらわれる結果となりました。

第2節 チームアプローチにおける介護福祉士の役割

　つまり、看護職のグループでは、現在の疾患や障害の状態、服薬の状態、既往歴、血圧や脈拍といったバイタルサインなどの情報に注目し、今後のリスクの予防をより重視したアセスメントが行われました。一方、介護福祉職のグループでは、利用者がこれまでにどのような生活を送ってきたのか、生活歴や生活における信条、味つけの好みなど、利用者および家族の日常生活をより重視したアセスメント結果となりました。さらに、ソーシャルワーカーのグループでは、利用者が現在の困っている状態から、利用者自身の力を含めたさまざまな社会資源を活用することにより、いかに生活を改善し継続していくことができるかという点をより重視したアセスメントが行われました。

　実際のケアプランの作成においては、利用者とともにケアプランをつくっていくため、どのような職種が担当しても、結果として利用者にとってもっとも有益となるケアプランが立てられると思われますが、この研修でのエピソードからは、職種によって、それぞれアセスメントの視点が少しずつ異なることがよくわかります。つまり職種ごとに**専門職としての視点**をもっているため、チームアプローチにより利用者の生活を支えるとともに、介護福祉職は介護福祉職としての視点から利用者を理解し、他職種に伝え、共有していくという**専門職としての役割**を果たすことが重要なのです。

　専門職ごとに視点や把握している情報が異なることを十分に理解し、利用者の望む生活の実現を支えるためには、どのような専門職とどのように連携すればよいのかを常に意識してかかわる必要があります。

2 チームアプローチの実際

　最後に、在宅で1人暮らしを続けている利用者Cさんの事例をもとに、チームアプローチの実際をみていきたいと思います。

事例3

　糖尿病で1人暮らしのCさん（86歳、女性）は、「糖尿病をコントロールしながら、在宅での1人暮らしを続けていきたい」という明確

な意志をもっています。しかし、医師から食事制限の説明があっても、長時間テレビを観ながらお菓子を食べてしまうなど不摂生な生活をしていました。糖尿病を悪化させないためには、低カロリーで、しかもバランスのとれた食事が必要なため、訪問介護員（ホームヘルパー）は週2回の訪問介護（ホームヘルプサービス）で食事づくりの支援を中心に行っていました。

　週2回の訪問介護では、カロリーに配慮した食事をCさんといっしょにつくることと食生活のアドバイスを行うこと、また、いっしょにつくった食事のレシピをカードにまとめて、別の日に自分でつくることができるような支援を行っていました。ホームヘルパーは、Cさんがいつも空腹感を訴えるので、繊維質の多い食材を増やし、油分を控えるなど調理方法を工夫していました。また、満腹感がえられ、しかもカロリーを抑えることができるような献立をCさんと相談しながらつくっていました。ホームヘルパーとの信頼関係のなかで、Cさんは、家での間食をやめる、外食のときにカロリーの高い食事の注文はしないなど少しずつ食生活に変化がみられるようになりました。

　　　　　　　　　　　＊　＊　＊

　ある日、Cさん宅を訪問してみると、「風邪を引いてしまった」と言い、食欲不振と全身の倦怠感を訴えてきました。これまでにも何度か風邪を引いたことはあったのですが、いつものCさんとは違った状態がみられたため、かかりつけ医の受診をすすめてみました。しかしCさんは、「病院に行くのはいや。すぐに入院させられてしまう……」と受診をいやがりました。そこで、介護支援専門員にCさんの様子を連絡したところ、介護支援専門員がすぐにCさん宅を訪問し、在宅での生活を続けられるように支援したいと思っていること、そのためには受診が必要なことを説明しました。Cさんは、「入院しなくてすむのなら……」と納得し、かかりつけ医の往診を受けることに同意しました。受診の結果、肝臓の機能が少し低下していることがわかりましたが、風邪薬の服薬による影響と診断され、ケアプラン（居宅サービス計画）および介護計画（訪問介護計画）の変更はせずに、しばらく経過を観察することになりました（**図4-7**）。

　その後Cさんは、元気になり、もとの生活に戻りました。

　　　　　　　　　　　＊　＊　＊

　それから2か月ほど経過したある日の訪問時、Cさんは38℃の発熱がありました。また、「身体がかゆい」と言って爪を立てて下肢をかいており、ひっかいた傷が赤く残っていました。さらに、2日前から食

欲がないこと、全身がだるいことを訴えてきました。「なんだかおかしい。いつもの風邪とは違うようだ」と思ったホームヘルパーは、急いで介護支援専門員に電話連絡したところ、介護支援専門員は、Cさんの了解をえて、すぐにかかりつけ医に往診を依頼しました。診察の結果、前回の受診時に比べ、肝臓の機能が悪化していることがわかりました。医師は、検査目的の入院をすすめましたが、Cさんを中心に今後の生活について話し合いを行った結果、「どうしてもぎりぎりまで自宅で生活したい」というCさんの強い希望をできるだけ尊重し、よりチームの連携を強化した支援を行うことになりました。

　介護支援専門員は要介護認定の変更申請を進めるとともに、Cさんと相談してケアプラン（居宅サービス計画）の変更を行い、新たに週1回の訪問看護と月1回の居宅療養管理指導をケアプランに加えました。また、訪問介護は、これまでの週2回から週3回に増やすことにしました。サービス担当者会議をふまえ、訪問看護では、血糖値や血圧の測定、全身状態の観察を行い、Cさんの健康面でのサポートを中心的に行うこととなりました。また、医師による居宅療養管理指導では、継続的な医学的な管理を行い、訪問介護では、食事づくりについてこれまでの糖尿病に配慮した食事から、今後は肝臓疾患も考慮した食事づくりを行うこと、さらに、糖尿病が基礎疾患としてあり、ひっかき傷もあることから、感染を予防するために全身清拭を行うことになりました（図4-8）。

　その後もCさんは、新しいケアプランのもとで、多くの専門職の「総合力」に支えられながら在宅での1人暮らしを続けています。

　以上のように利用者の生活を支える介護福祉職には、利用者の変化をいち早く発見し、関係職種につなぎ、利用者の願いや思いを受けとめて生活の安全性や快適性、自立性を確保しながら利用者を支え続けることが求められます。

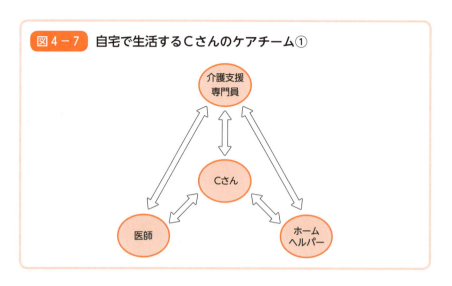

図4-7 自宅で生活するCさんのケアチーム①

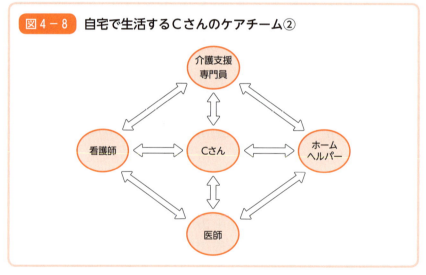

図4-8 自宅で生活するCさんのケアチーム②

演習4-2　チームアプローチの意義と実際

　利用者の生活を支援するために、介護福祉職はチームでアプローチすることが重要だとされている。その理由は何か考えてみよう。

1 まずは第4章を参照し、自分で考えてみよう。

2 **1**で考えた意見をもとに、実際に介護が提供されるさまざまな介護福祉現場を想定し、多職種連携のメリットや留意点にはどのようなものがあるのか、グループで話し合ってみよう。

第5章

利用者の生活と介護過程の展開

第 1 節　利用者のさまざまな生活と介護過程の展開

第 2 節　事例で考える利用者の生活と介護過程の展開

第 1 節

利用者のさまざまな生活と介護過程の展開

> **学習のポイント**
> - 人の暮らしは、さまざまな要因が複雑にからみ合って成り立っていることを理解する
> - 生活することの意味、人生の尊さ、介護福祉士の仕事の魅力にふれる

関連項目		
④	『介護の基本Ⅱ』	▶第4章「協働する多職種の機能と役割」
⑤	『コミュニケーション技術』	▶第1章「介護におけるコミュニケーションの基本」
⑤	『コミュニケーション技術』	▶第3章「対象者の特性に応じたコミュニケーション」
⑩	『介護総合演習・介護実習』	▶第6章第2節「実習モデル・介護過程を展開する介護実習」

1 介護福祉士の仕事の魅力

　人の暮らしは、その人なりの生活歴や生活信条、価値観などによりさまざまな様相を帯びます。つまり、これまでに学んできたような事例のとおりに展開していくことばかりではなく、地域の文化的特性、自然環境、利用者を取り巻く人的環境、利用者の精神的・身体的状況などが複雑にからみ合ってその人なりの生活が成り立っています。だからこそ、利用者のさまざまな情報を意図的に収集し、その情報の意味（その利用者にとって特有の意味）を理解し、関連性に気づき、統合化していくことで、はじめてその人の個別の生活課題が明らかになります。

　本章では、このように個別性が高く、かけがえのない人生に寄り添った支援を行う介護福祉士だからこそ知ることができる、生活することの意味や人生の尊さ、介護福祉士としての仕事の魅力などを伝えたいとの思いから地域色豊かな6つの事例を取り上げました。さらに、近年さまざまな自然災害が各地で頻発しており、非常時の生活支援を関連職種と

連携してどうやって解決するかという新たな課題に直面しています。「事実は小説より奇なり」のことわざどおり、本章で取り上げた具体的な事例のなかから介護福祉士としての気づきの大切さや情報の量や質によってアセスメントの結果が変わってくるということ、それが利用者の生活の質に大きな影響をおよぼすということを学んでほしいと思います。

人間としての豊かな感性をみがくこと、人との豊かな関係を築くことにより、介護福祉士としての未来を切りひらき、可能性を広げていくことができると期待しています。

2 本章で取り上げた事例について

以下に、本章で取り上げた6つの事例について、ポイントをあげてみました。事例1～3は在宅生活支援と在宅復帰支援の事例、事例4～6は、入所施設から在宅やグループホームに生活の場を移行する支援の事例です。

事例1❶の「都会に住む1人暮らしの高齢者の生活支援」は、単身赴任の期間が長かったために、近所づきあいがほとんどない1人暮らしのAさんの事例です。近隣とのかかわりのない都会に住む1人暮らしの高齢者の場合、社会との関係性を構築する支援をどのように考えるかが重要なポイントとなります。この事例からは、ケアチームのメンバーのかかわりや活動そのものが、Aさんらしさを尊重しながら日常生活に変化や潤いを与える重要な社会資源として機能することが理解できます。

事例2❷の「離島出身の高齢者の在宅復帰支援」では、人口約100人という小さな離島で生まれ育ち、79年間島から出た経験のないCさんが、脳内出血後のリハビリテーションを目的に入所していた島外の介護老人保健施設から離島に帰るまでの事例です。利用者の在宅復帰を支援する際には、自宅の住環境や自宅までの交通手段に応じた支援を行うなど、利用者のおかれた状況を十分に把握した支援を行うことが求められます。

事例3❸の「在宅でターミナルを迎える高齢者と家族の生活支援」は、自宅で最期を迎えた95歳のKさんの事例です。これからの介護福祉士には、介護予防から終末期の介護まで、幅広い業務をになうことが求

❶事例1
p.172参照

❷事例2
p.179参照

❸事例3
p.185参照

められます。ターミナルケアにおいては、最期をどこでどのように迎えるのかを利用者自身が決められるように支援することも重要です。Kさんのように自宅で最期を迎えることを望む場合は、それを支える家族の協力が必要になります。したがって介護福祉士には、家族を含めたファミリーサポートの視点が求められます。利用者本人や家族との十分な話し合いのもとに、在宅でのターミナルケアにおいて介護福祉士としての役割を果たすために、自分自身の死生観をはぐくむことが求められます。

❹ 事例4
p.191参照

　事例4❹の「医療的な処置が必要な高齢者の生活支援」は、介護老人福祉施設の寮母長として介護に従事した経験のある人が進行性の難病により、みずからが介護を受けることになった事例です。経口摂取が困難になった利用者に胃ろうを造設するか否かの決定に際しては、家族間でも意見の分かれる場合があります。この事例は、利用者本人、孫を含めた家族での話し合いの結果、胃ろう造設となっています。胃ろう造設後も言語聴覚士との連携のもと、ヨーグルトなどを経口摂取する支援をしています。心身の状況が変化するなかでも、利用者や家族の望む生活を最後まで支援することが大切です。

❺ 事例5
p.199参照

　事例5❺の「片麻痺のある高齢者の夢の実現に向けた支援」は、脳梗塞により右片麻痺になり、人生の目標であった4度目の遍路参りを断念していたTさんの夢の実現に向けた支援の事例です。この事例からは、介護福祉士には、「麻痺があるから……」「歩行が不安定だから……」と、「できない」理由を探してあきらめてしまうのではなく、常に利用者の「可能性」の実現に向けたアンテナを張り、利用者の潜在的な能力を引き出すことが求められていることがわかります。

❻ 事例6
p.205参照

　事例6❻の「災害によって生活環境を大きく変化せざるをえなかった高齢者への支援」は、大地震によって老夫婦と長男夫婦の4人で住んでいた借家が全壊し、避難所や親族の家を転々とし、3か月後に隣接する自治体の「みなし仮設住宅」へ転居となった事例です。要介護3であった夫は、ADL（Activities of Daily Living：日常生活動作）状況から避難所での生活ができないため、短期入所生活介護（ショートステイ）を利用しましたが、体調をくずしたため病院へ入院となり、地震発生後1年で亡くなっています。その妻も50歳ごろからリウマチの症状があり、転居により近隣の人々との交流もなくひきこもりがちになり、さらに夫の死というショックから生活意欲の低下、もの忘れ症状が出現して

います。災害等による非日常的な生活をさまざまな専門職が連携して生活の再建をめざそうと支援するチームアプローチの重要性を学んでほしいと思います。

　どの事例も、「事例の概要」「介護過程の展開」「解説」という流れで物語的にまとめてありますので、興味のある事例から読み進めてみてもよいでしょう。

第2節 事例で考える利用者の生活と介護過程の展開

> **学習のポイント**
> - 事例を通して、利用者のさまざまな生活と介護過程の展開の実際について学ぶ
> - 介護福祉士として豊かな感性をみがき、人とのかかわりを大切にすることの重要性を理解する
> - 事例を通して、生活することの意味、人生の尊さ、介護福祉士としての仕事の魅力を理解する

事例1　都会に住む1人暮らしの高齢者の生活支援

事例の概要

プロフィール

Aさん
性別：男性
年齢：91歳
生活環境：自宅
要介護度：要介護2
認知症の症状はない（年齢相応のもの忘れがある程度）。
障害高齢者の日常生活自立度：A2

家族構成および生活歴

　B県生まれ。大学卒業まで地元で育ち、生命保険会社に就職が決まり上京。その後結婚する。結婚後は転勤があり、単身赴任（海外など）が長かった。部長職で定年を迎えた。退職してから数年は妻と2人で庭の手入れや旅行などを楽しんでいた。妻の乳がんが進行していることがわかってからは献身的に介護し、自宅もバリアフリーに改築した。妻が亡くなって1人暮らしとなり4年になる。長男と長女は都内に住

んでおり、孫の1人はニューヨークに住んでいる。

　Aさんは、妻が亡くなってから急激に気力と体力が低下し、遺影の前のいすに座って過ごしていることが多くなった。「どこにも出かけたくはない。自分の家で好きなように暮らしていたい」と言い、子どもたちからの同居の申し出も断っている。現在は長女が火曜日と木曜日に泊まり、長男が土曜日に泊まりに来ている。

健康状態

腸閉塞❶：これまでに緊急入院2回。
変形性膝関節症：O脚。足にむくみがある。
加齢黄斑変性症❷：左眼が見えにくく、左右の視力に差がある。また、視野の狭窄がある。眼鏡をかければ新聞を読むことができる。

日常生活の状況

歩行：4点杖を2本使い、自宅内をゆっくりと歩いている。
整容：毎朝、洗面台の前のシャワーチェアに座り、洗面、ひげそり、歯みがきをゆっくり時間をかけて行っている。
着脱：時間はかかるが、ベッドの端に座って自分で行っている。寒がりで、いつも重ね着をしている。
食事：昼食は給食サービスを利用している。夕食と朝食は午後の訪問介護員（ホームヘルパー）が調理した食事をダイニングのテーブルで食べる。食べ終わった食器は流しに運ぶ。食材や日用品の買い物はすべて長女がしている。
排泄：玄関脇のトイレで時間をかけて行っている。夜間は居室の隅に置いてあるポータブルトイレを利用することもある。布パンツに尿取りパッドを当てているが、排便後、うまく拭くことができないために尿取りパッドに便がついていることがある。
入浴：週2回、訪問介護員の介助で日中に入浴している。最近は浴槽をまたぐときにふらつくことがあるため、シャワーだけですませることもある。
コミュニケーション：加齢黄斑変性症（左眼）がかなりひどいが、眼鏡を使用して新聞を読むことはできる。難聴があり、時に聞き返すことがある。してほしいことがあるときは、「もしよかったら……してください」と、おだやかに、明確に話す。

性格

おだやかななかにも凛として、自分の主張がしっかりできる。排泄

---

❶腸閉塞
種々の原因によって起こる腸管の閉塞。激しい腹痛、腹部膨満、嘔吐等の腸管通過障害の症状を示す。緊急な医療的対応を要する。

❷加齢黄斑変性症
黄斑は眼球の網膜の中心部で、もっとも視覚にかかわる部分である。その黄斑の病変の程度により種々の視力低下、色覚異常、中心暗点（視野の中央が暗く見える）、羞明（まぶしく感じる）を訴える。黄斑部変性症ともいう。

の時間や回数をノートに記録して、「書いておくと安心します」と言う。また、ユーモアのセンスがあり、入浴時に介護福祉士の実習生が「頭どうします？（頭は私が洗いますか？）」と訪問介護員に質問したところ、「（魚の）頭は猫にあげてください」などとまじめな顔でさらりとユーモアのあることを言ったりする。

1日の過ごし方

朝は早起きで、新聞を読むことを楽しみにしている。朝食は前日の午後、訪問介護員が用意したごはんとみそ汁、納豆などを食べている。午前中はダイニングのいすで新聞やテレビのニュース番組を観たり、うたた寝をしたりしている。昼食（給食サービス）後は、ベッドのある居室とテレビのあるダイニングのあいだのふすまを開けて、ベッドからテレビを観ている。訪問介護員といっしょに庭に出ることもあるが、近所づきあいもなく、知り合いもいないためか、玄関から外へはほとんど出ない。居室の妻の遺影の前にいすがあり、遺影を眺めながら座っていることが多い。

週間計画表

	月	火	水	木	金	土	日
深夜							
早朝			長女帰宅		長女帰宅		
午前	訪問介護60分（入浴）給食サービス	給食サービス	訪問看護30分 給食サービス	訪問介護60分（入浴）給食サービス	給食サービス	給食サービス	給食サービス
午後	訪問介護60分	訪問介護60分	訪問介護60分	訪問介護60分	訪問介護60分	訪問介護60分	
夜間		長女泊まり		長女泊まり		長男泊まり	長男帰宅
深夜							

介護過程の展開

アセスメント

　Aさんは、住み慣れた自宅で自分の好きなように過ごしたいと願っています。　◀ 情報の収集

　通所介護（デイサービス）も見学しましたが自分には不向きと判断し、訪問介護（ホームヘルプサービス）と訪問看護、給食サービスを利用して生活しています。

　家族が交代で週3日泊まりにきていますが、これ以上負担をかけたくないという気持ちがあり、介護保険と介護保険以外の社会資源を利用しながら、自分のできるところはできるだけ自分でしたいと思っています。　◀ 自分のことはできるだけ自分でしたいと願っている

　また、腸閉塞の再発をおそれていて、食事にはとくに気をつけており、訪問介護員に対して、やわらかく調理してほしいという希望があります。

　Aさんの自宅は、都会の住宅街の一戸建て（持ち家）で、単身赴任の時期が長かったこともあり、近所づきあいはほとんどありません。家の玄関を出るのは月に1回の受診時だけです。4年前に妻が亡くなると心身ともに急激に機能が低下してしまいました。それでも妻が大切にしていた庭の草木は定期的に庭師を呼んで手入れをしています。　◀ これまでの人生を地域で生きてきたわけではない

　◀ 妻を亡くし、急激に気力・体力が低下した

　日常生活のそうじ・洗濯・布団干し・ごみ出し・調理（夕食・翌日の朝食）・入浴介助は、週6日訪問介護員が訪問して支援しています。買い物は、週2回泊まりにきている長女がしています。

　「長年暮らし続けた自宅で、これ以上家族に負担をかけることなく過ごしていきたい」と希望しているAさんの生活を訪問介護においてどのように支えていったらよいか、担当する訪問介護員が集まり検討しました。

　まず、腸閉塞の再発は、さらなる身体機能低下を加速させるため、日常生活の介護においては、訪問看護ステーションの看護師との協力で排便のコントロールをすることが重要です。加齢による腸蠕動運動低下に加えて運動量が少ないことも影響しているように思われます。しかし、4点杖で自宅内を歩き、自分のことはできるだけ自分でしている今の状況は、生活そのものがリハビリテーションになっていると思われました。したがって、そのがんばりを評価し、継続していくよう支援することが大切です。　◀ 情報の解釈・関連づけ・統合化

　◀ 急激な身体機能低下を防ぐために、腸閉塞再発予防と転倒防止が必要である

　◀ 現在のがんばりを評価することから始める

排泄に直接影響する食事については、やわらかめに調理をしてほしいとの希望があります。したがって、食事と排泄の状況の観察を続け、医療職との連携が必要であることが考えられます。
　また、現在は朝しか行われていない歯みがきについて、咀嚼能力の維持のためにも口腔ケアの必要性を説明し、夕食後の歯みがきをすすめる必要があると思われます。
　入浴時にふらつく原因については、下肢筋力低下が考えられますが、血圧などの身体機能の変化についても観察して、医療職へ報告することが必要です。便付着による殿部の皮膚の清潔保持のためには、入浴介助の担当以外の訪問介護員も排便後の殿部の清潔保持をしていく必要があります。
　下肢筋力低下と変形性膝関節症による歩行の不安定さがあり、さらに左右の視力の差と視野の狭窄があることから転倒の危険性があります。転倒防止の意味からも、Ａさんの移動空間の環境整備が必要であると思われました。

> 社会的な人間関係の構築は時間をかけてケアチーム全体の連携のなかで行う

　妻に先立たれ地域との交流もなく、家にひきこもっているＡさんの生活の活性化に向けて、地域との連携をふまえた積極的な生活支援のあり方を考えることは介護福祉士として大切な視点です。しかしＡさんは、単身赴任をしていた時期が長く、これまでの人生を地域のなかで生きてきた人ではありませんし、同年代の人はもう近所にいないようです。Ａさんは通所介護事業所を見学したうえで、現在は家で好きなように過ごしたいと願っているため、Ａさんの生活に対する姿勢に敬意を払い、今後のかかわりのなかでＡさんの生活の楽しみを知り、そのうえで他者とのかかわりなど社会参加に対する支援のあり方をケアチーム全体の連携のなかで構築していくことが必要であると思われます。

介護計画の立案

> 目標の設定

　前記のアセスメントをふまえ、次の３点を目標に支援を行うこととしました（実施期間６か月）。
① 排便のコントロールができて、殿部の清潔保持ができること。
② 移動環境を整備し、転倒を予防すること。
③ 日々の暮らしにメリハリがつき、おだやかに過ごせること。

> 支援内容・支援方法の決定

　また、目標を達成するために、次のような支援内容・支援方法を決定しました。

目標①「排便のコントロールができて、殿部の清潔保持ができること」については、訪問看護師との連携をとる方法として、Aさんにかかわるすべての人が必ず記入する「連絡ノート」に、排便の状況と調理した献立を毎回記載することにしました。さらに、殿部の皮膚の清潔に関しては、介助に入るすべての訪問介護員が観察し、状況に応じて陰部洗浄または蒸しタオルで拭くこととしました。

　目標②「移動環境を整備し、転倒を予防すること」については、これまでどおりAさんの移動空間の整備（整理整頓・すべりやすい紙などの除去・水滴を残さない）を徹底していくことにしました。

　目標③「日々の暮らしにメリハリがつき、おだやかに過ごせること」に対しては、これまでどおりAさんのがんばりを評価しながら、日々の生活にメリハリがつくようなAさんの楽しみを探ることになりました。また、清潔と爽快感（快適）の視点から、夕食後に口腔ケアを行うことが新たな習慣になるよう支援することとしました。

　以上の3つの目標を担当の訪問介護員およびケアチームの全員が共有して支援にあたるために、「連絡ノート」を活用し、とくに重要と思われる内容は赤字で印をつけるようにしました。

> ケアチーム全体で目標を理解し、共有する

介護の実施

　介護計画（訪問介護計画）に従って支援を継続するなかで、ある日の午後に訪問した訪問介護員は、ダイニングと居室とのあいだのふすまを開けてテレビを観ながら居眠りをしているAさんを見て、何かできることはないかと考えました。在学中に習った便秘解消の運動を思い出し、Aさんに相談してみたところ「便秘に効果があるのなら……」と前向きな返事がえられたため、サービス担当者会議の場で提案してみました。その結果、ベッド上で、Aさん1人でも十分にできる数分間の体操を取り入れてみることになり、日課に加えられました。

　また、若い男性の訪問介護員が訪問したときに、Aさんはテレビでメジャーリーグの試合を観ていました。その訪問介護員も野球をしていたので話しかけてみると、「アメリカにいる孫と会ったときに話ができるかもしれないので観ている」と言いました。孫に会うことを楽しみにして、野球中継放送を観ていることがわかりました。その後は、訪問介護員と日米の野球の話題を楽しむようになりました。

> 訪問介護員の気づきにより介護計画（訪問介護計画）を変更

> 日々の介護の場面からAさんの楽しみを把握

評価

支援の継続 ▶ 　目標①に対しては、現在、腸閉塞の再発もなく、また殿部の皮膚も清潔に保たれているため、継続して行うこととしました。

支援内容の部分的な変更 ▶ 　目標②に対しては、夜間に電話が鳴った際、あわてて出ようとしてバランスをくずし、左の額にかすり傷を負う出来事がありました。Aさんは「あわてないようにしないといけない。電話に間に合わなくても、用があればまたかけてくるのに……」としきりに反省していました。電話を置く場所を変更するとともに、引き続き、室内の環境整備を行うこととし、帰り際には、再度、確認をすることとしました。Aさんのかすり傷については、サービス提供責任者を通して介護支援専門員（ケアマネジャー）に報告しました。

今後の可能性 ▶ 　目標③に対しては、野球の好きな訪問介護員と日米の野球の話題を楽しむようになりました。「孫に会うのを楽しみにしている」ということもわかったため、今後のAさんの楽しみとして、孫と会う機会についても検討することとしました。

◆ 解説

　B県で生まれ、東京で就職し結婚したAさんは、単身赴任の期間が長く地域とのつながりはほとんどありませんでした。退職後、妻の乳がんが進行していることがわかり献身的に介護をしてきました。その妻を亡くしてから急激に体力と気力が低下しましたが、Aさんは自分の生き方を自分で考えて決めています。家族と訪問介護、訪問看護、給食サービスなどの支援を受けながら、今自分でできることを精一杯行い、自宅で好きなように暮らしたいと願っています。

　Aさんの生活を支えるためには、現在のがんばりを認め、体力の低下をできるだけゆるやかにするため、腸閉塞の再発予防と転倒予防という基本的な生活支援を優先させつつ、生活にメリハリをつけられるような生活の楽しみを探り、それを支持する必要があります。ここでは、若い男性の訪問介護員が、メジャーリーグの試合を観ているAさんの「孫に対する思い」を知ったことをきっかけに、日米の野球の話題で生活に彩りをそえることができました。このように、日常生活に密接したケアを行っている訪問介護員だからこそ見いだせたAさんの楽しみを支持し続

けるには、情報をえた訪問介護員がチームに情報を提供し、チーム全体でさらにAさんの楽しみに対して関心をもって広げていくことが大切です。

都会で近所とのつきあいがほとんどない高齢者の場合、社会関係を構築する支援は、十分に時間をかけながら行います。このような高齢者にとっては、ケアチームの活動そのものが地域活動のいったんをになっているともいえます。「家にひきこもっているのはよくない」と一方的に地域とのかかわりをすすめるのではなく、日常生活にもっとも密着した専門職として、利用者の願いや思いに気づき、おだやかに過ごすことができるように努める必要があります。このような支援は、利用者の生活の質を高めるとともに介護福祉士の喜びともなります。

事例2　離島出身の高齢者の在宅復帰支援

事例の概要

プロフィール

Cさん
性別：女性
年齢：80歳
生活環境：介護老人保健施設入所（2か月後の在宅復帰をめざしている）
要介護度：要介護2
認知症高齢者の日常生活自立度：Ⅱb（もの忘れがあり、洋服のボタンのかけ違いをする。難聴もあり、対面して会話しているときに大きな声で別の人の会話が聞こえてくるとその会話に答えてしまうことがある）
障害高齢者の日常生活自立度：A1

家族構成および生活歴

　日本海に浮かぶD県E島（人口約100人）出身の島育ち。先天性難聴のため教育を十分に受けることができなかった。結婚歴はなく、自宅で家事の手伝いをしていた。旅行をしたこともなく、島外に出たこともほとんどない。就業もしていないため、自治会の集まりに参加することが、唯一家族以外の人と接する機会であった。新聞やテレビを観ることが楽しみ。自宅にいるときは、毎朝新聞が届くのを楽しみにしていた。両親の死後は、弟家族と同居している。

帰宅して、また自治会の人たちと会って話をすることを楽しみにしている。

入所にいたった理由

79歳のとき、自宅で転倒し、動けなくなったため、弟夫婦とともに市営渡船に乗り、片道40分かけて漁港の近くにあるF病院を受診した。骨折等はなかったが、検査の結果、脳に何らかの異常がみられるということで脳外科のある専門病院に紹介入院となる。脳内出血が見つかり、1か月にわたる治療が行われた。その後、F病院に戻り、リハビリテーションを行う目的で同一施設内にある介護老人保健施設に入所となった。

健康状態

脳内出血（左視床）：麻痺なし
慢性心不全：過度の運動は制限されている。ただし安静にしすぎると身体機能や精神面に悪影響をおよぼしたり、肺塞栓などの合併症を併発する危険性があるため、注意が必要である。
服薬：利尿剤、血管拡張剤、強心剤

日常生活の状況

起立・移乗：ベッドに移動バーが設置されており、これを使用したりベッドに手をついたりすることにより自力で行うことができる。
移動：1人で歩くことができるが（30m程度）、ふらつきがあるため近くからの見守りが必要である。起床直後はとくにふらつきがみられるため、手引き歩行をしている。
整容：歯みがき・うがい・洗面は自立している。時々、歯みがきや洗面をせずに居室に戻ることがあるため、声をかける必要がある。
着脱：衣服の準備をすれば自力で行う。ボタンを段違いに留めることがあり、介助が必要である。
食事：残歯が少ないため、主食は全粥にしている。副食はきざみ食をかきこむようにして箸を使って自分で食べる。スプーンは使い慣れない様子である。
排泄：日中は、尿意があれば自力でトイレへ行く。排便は間に合わないときにはポータブルトイレを使用している。夜間は、ポータブルトイレを使用している（時々、失禁がある）。日中・夜間ともに布パンツを使用しており、夜間のみ尿取りパッドを併用している。失禁

の際は、自分でパンツをはき替える。
入浴：一般浴にて一部介助（洗身・洗髪）が必要である。浴室の床は濡れていて危険なため、移動は手引き歩行をしている。
コミュニケーション能力：視力・言語障害はなし。聴力は両耳とも難聴があるが、右耳のほうが聞こえがよい。筆談（大きな字）と右耳からの大きな声により、コミュニケーションが可能である。時々、会話中に隣の人が大きな声で話すと、隣の会話に答えてしまうなど、会話が成立しないことがある。

性格・行動特性

とてもおだやかで、遠慮がちである。日ごろ、職員の介助に対して「もう、ええよ」と遠慮がちに言ったり、ポータブルトイレの排泄物の入った容器を持って廊下に出てきて自分で処理しようとしたりする場面もみられる。また、長年、島で暮らしてきたことや、難聴、認知機能低下のためか、ほかの入所者と積極的に交流をはかろうとする姿はみられない。

1日の過ごし方

食事とお茶の時間以外は、自発的な行動はみられず、ほとんど居室のベッドに臥床して過ごしている。ただし、声をかければ、リハビリテーションやレクリエーションには参加する。

介護過程の展開

アセスメント

Cさんは、「自宅に戻って生活したい」という意思が明らかでしたので、2か月後の「在宅復帰」を目標に、理学療法士（PT）の指導のもとで平行棒を使った歩行訓練と生活動作の機能維持訓練に取り組んでいました。

施設では、ベッドを使用しており、設置されている移動バーやベッドに手をつくことで、自分でベッドから起き上がり、立ち上がることができていました。しかし、ある朝、介護福祉職が、Cさんの衣服を準備しながらなにげなく会話をしていたところ、自宅では畳に布団を敷いて寝起きしていたことがわかりました。さらには、島では、自治

> 日常の支援のなかで、「Cさんらしさ」につながる情報を収集

会の広報を担当していてほとんどの住民と顔見知りだったということがわかりました。

島に戻ってからのCさんの生活を考えると、畳からの起き上がりやその後の移動動作が不安なくできるようになること、また、現在は、ほかの入所者との交流がほとんどみられませんが、本来は人が好きで、もっとかかわりたいと思っていることに気づきました。

そこで、具体的に、帰宅後の生活を想定したリハビリテーションを行うこと、ほかの入所者との交流を楽しむことができることを目標として支援することを提案し、Cさんおよびほかの職員とともに確認しました。Cさんは、なるべく人の手を借りずに自分でやりたいという思いがあり、「やってみようか」と意欲的な答えが返ってきました。

> 帰宅後の生活を考え、リハビリテーションの内容を再検討する必要性に気づく

> 介護福祉職の気づきにより、ケアプラン（施設サービス計画）を変更

介護計画の立案

Cさんの家は、日本海に浮かぶD県E島にあるため、自宅に戻る手段としては、G漁港から市営渡船に乗る必要があります（約40分）。船に乗るには段差が想定されるため、段差を越えられることと、岸と船をつなぐ桟橋を安全に渡ることができなければなりません。また、家に帰ってからは、畳に敷いた布団から起きて、立ち上がり、家の中を移動して、身のまわりのことができるようになる必要があります。さらに、Cさんらしく生活していくために次のような介護目標を設定しました（実施期間1か月）。

① 和床から安全に立ち上がり、和室内をふらつくことなく歩行できる。

② エレベーター内で安定した立位をとることができる。

③ ほかの入所者との交流を楽しむことができる。

Cさんの居室は3階で、起き上がりや立ち上がりの訓練を行う和室は2階にあるためエレベーターを使用します。エレベーターの動きはじめや停止時の揺れは、岸と船のあいだに渡してある桟橋を渡る際に必要なバランス訓練になると考え、エレベーター内で手すりにつかまって立位を保つ練習をしました。その際、危険に備えて、近くで見守りをすることとしました。

和床からの起き上がり、立ち上がり、立ち上がったあとの移動については、理学療法士に協力を求めて、現在のCさんの力を確認しました。その結果、起き上がりの際に声をかけること、立ち上がる際に低い机を活用すること、すぐに支えられる距離で見守ることを決定しま

> 利用者とともに具体的な目標を設定

> 支援内容・支援方法の決定

> ほかの専門職との協働

した。
　さらに、同施設にCさんと同じE島の出身で、昔、海女をしていたHさんが入所しているという情報をえて、Cさんに伝えたところ、「ぜひ話をしてみたい」ということでしたので、歩行の練習の際にHさんのところへ行き、声をかけてみることとしました。

◀ Cさんの生活歴に着目した介護福祉職の提案

介護の実施

　①の「和床から安全に立ち上がり、和室内をふらつくことなく歩行できる」という目標については、立ち上がった直後の移動において、1、2歩は介助なしで歩くことができましたが、ふらつきがみられるため、手引き歩行を行いました。また、立ち上がる動作が途中で止まってしまうことがありましたが、具体的にどこをどのように動かすのかということを大きな声でわかりやすく伝えるとともに、いっしょにからだを動かしてみせるとスムーズにできました。

◀ 実施状況の把握

　②の「エレベーター内で安定した立位をとることができる」という目標については、手すりをしっかり持つことで、エレベーターの揺れに対するバランスをとることができました。

　③の「ほかの入所者（E島出身のHさん）との交流を楽しむことができる」については、介護福祉職が「Hさんをおぼえていますか？」とたずねるとCさんは、「顔は知っちょる」「Hかいね？」などと話しかけていました。しばらくすると笑顔がみられるようになり、Cさんのほうから「どこの人かね？」「いつからおるんかね？」と積極的に質問する様子がみられました。翌日、今度はHさんがCさんの居室を訪ねてくると、Cさんはすぐに「Hちゃん」と名前をはっきり言うことができました。

評価

　支援を1か月実施した結果、和床からの立ち上がりと室内の歩行は、ふらつきが少なくなりました。そこで、手引き歩行ではなく、少し距離をおいたところからの見守りに変更しました。

◀ 目標の達成状況

◀ 支援内容・支援方法の評価

　エレベーター内では、見守りが必要ですが、手すりを持たずに安定した姿勢がとれるようになりました。さらに、同郷のHさんとの会話をきっかけに、少しずつほかの入所者との交流も深まってきていて、自然にCさんのまわりに人が集まってくるようになりました。

◀ 計画修正の必要性について介護福祉職の視点から検討

Cさんは笑顔でいることが多くなり、居室で臥床している時間は、1か月前に比べて大幅に減りました。
　その後、Cさんは、リハビリテーションを積極的に行うことで、和床から立ち上がる動作と室内の歩行ではふらつくことがなくなり、さらに、手を引くことなく1人で歩くことができるようになりました。また、リビングでほかの入所者と会話をする場面も増えてきて、居室にいる時間のほうが少ないくらいになりました。2か月後には、帰宅後の生活のめどが立ち、離島での生活に戻ることができました。
　帰宅後は、立ち上がりの際に必要な低い机の代わりに自室にあるタンスの引き出しを活用することで、和床から起き上がることが可能になっています。歩行についてもふらつきはほとんどなく、安定しています。また、体調のよいときには、自治会の集まりにも参加し、近所の人と交流をはかっています。以前に比べ、表情がとても豊かになり、笑顔がみられています。

◆ 解説

　この事例では、介護老人保健施設に入所しているCさんが、離島での生活に戻るための介護福祉職のかかわりを紹介しています。Cさんの場合、自宅に帰るには、地理的・生活環境的な特徴から、①船に乗ること、②船の桟橋のような揺れのある場所を歩行できること、③安定した歩行ができること、④自分の力で和床から起き上がり、移動できることが必要になります。
　もともとCさんは、施設のリハビリテーション室で、ベッドからの起き上がり・立ち上がりの訓練、平行棒を使った歩行訓練をしていましたが、あるとき、なにげない会話のなかから介護福祉職が「和床から起き上がる練習」や「桟橋の揺れのなかでバランスをとって歩く練習」が必要であることに気づき目標を見直しました。目標を見直したことによって、Cさんは「自宅に帰る」という目標を実感することができて積極的にリハビリテーションなどに取り組むことができるようになりました。施設という限られた環境のなかでは、桟橋を渡る際のバランスの訓練をエレベーターを使って行ってみるなどの工夫をすることが大切です。
　また、退所後の生活場所であるE島について、どのような場所でどの

ような社会資源があるのかという情報を収集する必要があります。たとえば、E島には、病院も診療所もありません。また、船は1日に3往復しか運航していません。したがって、急病人が出た場合には、海上保安庁に連絡し、緊急に船を出してもらい、本土の病院で診察を受けることになります。したがって、今後、病状の変化があれば、早めに受診するようにすすめる必要があります。

　この事例を通して、利用者本人や家族の希望に応じて、地理的な特徴に十分配慮した支援が大切であることがわかるのではないでしょうか。

事例3　在宅でターミナルを迎える高齢者と家族の生活支援

事例の概要

プロフィール

Kさん
性別：女性
年齢：95歳
生活環境：自宅
要介護度：要介護5
認知症高齢者の日常生活自立度：Ⅲa
障害高齢者の日常生活自立：C2

家族構成および生活歴

　L県生まれ。実家は商売を営んでいた。6人きょうだいの長女で、家事をよく手伝い、裁縫が好きでこまめに行っていた。旧制高等女学校卒業。23歳のとき公務員の夫と結婚。M県で生活を始め、二男一女をもうける。80歳のときに夫が死亡。その後、長男夫婦（子ども2人）と同居を始めた。家族関係は良好である。長女は同市内に、次男は同県内に住んでいる。

　91歳になった5月、自宅のトイレで転倒し、右大腿骨を骨折した。手術後、脳梗塞を発症した。右片麻痺、嚥下障害がみられた。同年7月に退院。骨折前は、伝い歩きやはって移動することなどが可能だったが、退院後はほぼ寝たきりとなる。95歳の4月に肺炎にて再入院。同年6月、前々からKさんが「畳の上で死にたい」と言っていたこと

や、経管栄養などは行わず、自然な形でＫさんを介護し、看取りたいという家族の希望で退院した。かかりつけ医のすすめもあり、医師の訪問診療のほか、訪問看護、訪問介護（ホームヘルプサービス）、訪問リハビリテーション、訪問入浴介護等の介護保険サービスを利用しながら自宅で生活することとなった。

　主たる介護者は、長男の妻（59歳）。長男（66歳）も訪問入浴介護を手伝ったり、長男の妻が家事をしているときは、Ｋさんのそばで話しかけたりしている。

　長男の子どもは、一男（29歳）・一女（23歳）。ともにＫさんにかわいがられて育ったためか、仕事の行き帰りには、必ずＫさんを見舞って声をかけている。孫息子は、体位変換に取り組むなどＫさんに積極的に声かけを行っている。孫娘は、長男の妻の介護負担軽減のため、家事に協力的である。市内に嫁いでいるＫさんの長女（63歳）も長男の妻を気づかい、息抜きのための外出をすすめたり、長男の妻のためにと湿布を届けたりしている。

＜6月の退院時＞

健康状態

高血圧
脳梗塞の後遺症（右片麻痺、嚥下障害）

日常生活の状況

移動・移乗：自力で寝返りができないため、体位変換を2時間ごとに行っている。状態のよいときはギャッチベッドの頭部を起こし、一定の時間を過ごすこともある。

身じたく：浴衣を好んで着用している（全介助）。毎朝、長男の妻が髪をとかしている。

食事：高齢者ソフト食（飲みこみやすい食形態）を全介助で摂取している。

排泄：紙おむつを使用している。尿量は少ない。

入浴・清潔保持：訪問入浴介護を週1回利用している。その他の日は、清拭を行っている。

コミュニケーション：視力、聴力は低下しているが、人物を特定したり、話しかけられた内容を聞きとることは十分にできる。問いかけに対して声を出して答えることは困難だが、表情やしぐさで気持ち

をあらわすなど意思表示はできる。

経済状況

夫の遺族年金（25万円／月）を受給している。介護保険自己負担分、おむつ代などは長男が支払っている。長男家族は経済的に困難な状況ではない。

性格

実家が商売を営んでいたためか、いつもニコニコとしていた。歌謡曲が好きで、元気なころはいつも鼻歌を歌いながら家事などをこなしていた。

長男の妻を「お母さん」と呼び、「うちにはもったいない嫁だ」と言っていた。日ごろからだれに対しても「ありがとう」と声をかけていた。

1日の過ごし方

ほぼ寝たきりの状況で、体調がよいときはギャッチベッドの頭部を上げて過ごしている。家族全員、Kさんのことが好きで、居間に隣接する部屋にKさんのベッドを置き、家族が常に声をかけている。食事もできるだけいっしょにするように配慮している。

介護過程の展開

アセスメント

Kさんは、「人間らしく人生をまっとうできるように」と口から食事をとることを希望していました。また、家族も「経管栄養ではなく、口から食べて、おいしい、楽しいと感じられるような生活を守りたい」と、ターミナルケアに対する強い意思をもって介護にあたっています。一方で、家族にもできることとできないことがあります。何度か訪問を重ね、信頼関係が形成されてくると、長男の妻は「実は、おむつ交換がうまくできなくて……」「お茶ゼリーを上手に食べてもらうことができないのですが……」と相談をしてきました。

また、Kさんは自分で寝返りができないため、褥瘡の発生を予防する必要があります。さらに、ADL（Activities of Daily Living：日常生活動作）に関して全介助を要するKさんの生活を支えるために、家

◀ 在宅介護の場面では、家族の思いも受け入れ、支援していく

◀ 家族が不安に思っていることに関しては、まずは不安な気持ちを傾聴・受容・共感で受けとめ、家族の介護方法を聞いたうえで、アドバイスをする

族の役割、訪問介護員（ホームヘルパー）の役割を決め、身体的にも精神的にもＫさんができるだけ気持ちよく過ごせるための支援を行っていく必要があることが確認されました。

介護計画の立案

　前記のアセスメントをふまえ、最期までＫさん中心の生活を送ることができるよう、次の目標を設定しました（実施期間１か月）。

① おいしくて飲みこみやすい食事を摂取できる。
② 嚥下障害があるが十分な水分量が確保できる。
③ 陰部・殿部を清潔に保つことができる。
④ 大好きな歌を楽しむなど、気分転換をはかることができる。

　具体的には、次のような支援を行うこととしました。

❶ 高齢者ソフト食を中心に、舌でつぶすことができ、飲みこみやすい形態の食事を調理する。
❷ 嚥下障害のため、水分は吸い飲みの口をじょうろのような形に加工して少量ずつ飲むことをすすめる。
❸ おむつ交換時に訪問介護員が陰部洗浄を行う。
❹ Ｋさんが好きな歌謡曲を流したり、体調のよいときにはリクライニング式車いすで家のまわりを散歩したりするなど、楽しみの時間を設ける。

介護の実施

　①「おいしくて飲みこみやすい食事を摂取できる」という目標について、市販の高齢者ソフト食は、食べやすさ・栄養面等に配慮されていますが、Ｋさんの好みではなかったようでした。Ｋさんの好きな食べ物を家族に聞いて、食事形態をよりソフトに調理することで食が進みました。「おいしいですか」と問いかけるとＫさんはうなずいていました。

　②「嚥下障害があるが十分な水分量が確保できる」という目標について、訪問介護員が吸い飲みを工夫したことで、少量ずつですが安定して水分をとることができるようになり、むせることもなくなりました。

　③「陰部・殿部を清潔に保つことができる」という目標について、台所用洗剤の空き容器を利用することで家族も簡単に洗浄できるよう

目標と期間の設定

目標や支援内容・支援方法は、家族のみでなく、Ｋさん自身の了解もえる

ADL以外にも目を向ける。Ｋさんの趣味（個人因子）に着目した目標

「実施」の際の留意点
①利用者・家族の病気に対する理解を正しく把握する
②病状を正確に把握してケアにあたる
③実施の際にも利用者主体で考える。栄養バランスよりも、食べやすさや、Ｋさんの好みに合ったものをたとえ少しでもとることが大切

市販のものに頼るのではなく、身近なものの工夫も大切

になりました。陰部洗浄後、Kさんは、「ありがとう」と拝むようなしぐさをしていました。

④「大好きな歌を楽しむなど、気分転換をはかることができる」という目標について、庭を見ながら歌謡曲を聞いたり、散歩時に訪問介護員が歌う声にあわせて何となく口を動かしているようでした。

支援の実施時には、必ず「連絡ノート」に必要事項を記入し、また、ほかの専門職からの情報もえて、Kさんの支援にいかすようにしていました。とくに、「連絡ノート」の活用によって、看護師との連携を密に行いました。

> 医療職と連携し、病状や療養上の注意点について情報を共有することで、同じ目標・同じ方向性のもとにチームケアが行われる

評価

計画にそって支援を実施し、1か月が経過した時点で評価を行ったところ、Kさんの状態は全体的に落ち着いているように思われました。在宅での生活を継続するためには、現状をできるだけ維持していく必要があるため、支援を継続することが確認されました。一方で、夏の暑い時期に向けて、生活環境（温度・湿度）や食欲が落ちた際の対応、汗をかくので水分の補給や清拭の回数を増やすことなどの具体的な支援内容については検討し、必要に応じて修正することとしました。

> 計画修正の必要性を検討

＊　　＊　　＊

8月ごろより、Kさんの食事量は徐々に少なくなり、体重も減少しているようでした。寝返りができないため、褥瘡など皮膚のトラブルもさらに受けやすい状態でした。このころより1日のほとんどをうとうとしながら過ごしていましたが、演歌を流すとみずから歌っているのか口元が動いていることもありました。

12月11日、ふだんと同じように、訪問入浴介護のサービスを受け、気持ちよさそうな表情をみせていましたが、21時ごろ、夕食で食べたものを嘔吐。翌朝9時ごろに息づかいが荒くなりました。かかりつけ医の指示で長男の妻が口唇をガーゼで湿らせました。しばらくして痰がからむ様子があり、痰を吸引しました。その後、苦しむ様子もなく、12時30分ごろ、静かに息を引きとりました。長男の妻がKさんの手をにぎり、家族全員が静かに見守るなかでの最期でした。

◆ 解説

　在宅で生活する利用者にかかわる場合は、利用者本人だけでなく家族の生活にも配慮が必要です。つまり、家族は何をどのように支援してほしいと思っているのかという点についても理解する必要があります。そのためには、本人・家族と十分にコミュニケーションをはかり、信頼関係を構築することが重要です。

　また、ターミナルケアにおいては、「どこでどのように死を迎えるか」が利用者・家族にとって最大の課題となります。「安らかな死」は高齢者の願望であり、権利です。したがって、最期までその人らしく生活することができるよう、総合的な支援を行うことが重要です。一方で、大切な人を失おうとしている状況において、家族は、不安やとまどい、深い悲しみなど、さまざまな感情を抱いています。したがって、介護福祉士には家族の精神的な支えとなることも望まれます。

　この最期の時間の過ごし方は、利用者が「よい人生だった」と思えるかどうか、また家族が利用者の死を乗り越えて自分の人生を歩んでいけるかどうかに影響します。この事例では、「畳の上で死にたい」というKさんに対して、家族がおだやかに、自然に「ともに過ごしていくこと」を実践しています。この過程において、Kさんも家族も、「死」を受け入れる準備を行うことができたのではないでしょうか。

　在宅で介護を行う家族は、毎日介護を続けていくうちに、どうしても疲れがたまっていきます。そのような家族に対して介護福祉士は、たとえば、以下の点に配慮するとよいでしょう。

> ① 介護のコツや介護方法を家族といっしょに具体的に考える。
> ② うまくできなくても家族の愛情がこもった介護ならば利用者には心地よいことを家族に伝える。
> ③ こころとからだを休めることの大切さを家族全員に理解してもらう。
> ④ 家族で分担することを提案する。
> ⑤ ユーモア（笑いや冗談）の大切さを伝える。
> ⑥ 「何が何でも在宅で」と思い詰める必要はなく、場合によっては病院や施設という選択肢もあることを伝える。

　今後、介護福祉士が利用者の「死」にかかわる機会はますます増える

ことが予想されます。したがって、利用者本人や家族の「どこで、どのように死を迎えたい」という希望をきちんと理解しておく必要があるのではないでしょうか。「死」は、やり直しのきかないものだからこそ、利用者の死生観を知り、その人らしい看取りを支援し、QOL（Quality of Life：生活の質）と同時にQOD（Quality of Death：死の質）についても考えていくことが重要です。

事例4　医療的な処置が必要な高齢者の生活支援

事例の概要

プロフィール

Nさん
性別：女性
年齢：81歳（医療的な処置が必要になった当時）
生活環境：介護老人福祉施設入所中
要介護度：要介護3
認知症高齢者の日常生活自立度：Ⅲa（ただし、認知症によるBPSD（行動・心理症状）などはなく、会話が困難なため確定はむずかしいと思われる）
障害高齢者の日常生活自立度：C1

家族構成および生活歴

　5人きょうだいの4番目（次女）として中国の上海に生まれた。実家は旅館を営み、終戦後はP県に引き揚げた。女学校に編入学し卒業後、Q県に移住する。文化服装学院を卒業後、洋裁で生計を立てる。23歳のとき夫と結婚、三女をもうける。洋裁師として働くかたわら、学校のPTA副会長や婦人会の役員として多忙な日々を送る。
　夫の定年までQ県で暮らし、44歳のとき、R市に移住、介護老人福祉施設に寮母として勤務する。介護福祉士の資格を取ってからは、寮母長として65歳まで勤める。
　66歳のとき、S市に自宅を新築し、夫、長女、孫と暮らす。それから5年後の71歳のとき、夫が脳梗塞を患い、右半身麻痺で車いす生活となる。Nさんは日中、夫を1人で介護するも、介護負担が大きく夫は介護老人福祉施設に入所した。

介護老人福祉施設への入所から車いす使用まで

　Nさんは、その時期から歩行時に徐々にふらつきがおき、転倒するようになる。75歳のとき、総合病院の神経内科にて**進行性核上性麻痺**[3]の診断を受ける。自宅での生活を送るが日中は1人のため、転倒事故による裂傷や打撲が多くなる。手指を骨折し見守りが欠かせなくなったため1年後（76歳のとき）、介護老人福祉施設に入所となった。

　当初は歩行器を使用し自分でトイレに行っており、リハビリテーションでも歩行訓練で身体機能が低下しないようはげんでいた。余暇時間ではタオルだたみをしたり、ほかの利用者とオセロをしたり、ほかの利用者が困っていたら声をかけて助けたりしていた。

　自宅へは毎月2～3回外泊していた。入所後4か月経ったころに夫を亡くしている。

　Nさんは、立ち上がり時や移乗時に徐々にバランスをくずし転倒することが増え、入所後7か月目より車いすを使用しはじめた。車いすは自走して移動していた。本人の希望で歩行訓練は継続していたが、車いすの使用1か月後より「歩きづらくなってきた」と話していた。

　排泄では、自分でトイレには行けるが、ふらつくようになり、便座への移乗や衣類の上げ下げの介助を行うようになる。介助する職員に対し「ありがとうございます。夜勤大変だけどがんばってくださいね」と声をかけていたが、その後、ベッドからの転落やいすからのずり落ちが増えていく。

胃ろうの導入まで

　入所後3年（79歳）のとき、ケアプラン（施設サービス計画）更新のため希望をたずねると「ぬり絵がしたい」「難病なので今に動けなくなるのでは、と朝夕に思います」と答えている。

　病状の進行の不安をかかえ、食事量の減少もみられたため、Nさんの好きなパンを食べることができないか栄養士に相談したところ、咀嚼がむずかしい人のための「介護用食パン」を紹介され、毎朝食べるようになる。しかし、その他の食事については食べにくい様子で、粥・嚥下食に変更となる。

　夕食時、食器の距離感がつかめないのか、スプーンで食器を「カッカッ」と何度もすくっていたり、粥・お茶に強くむせこみがみられたりすることが増えた。Nさんはそのような状態でも自分で食事をするために「テーブルが低い」と訴えており、自分で食べるための意欲は落ちていないようであった。Nさんの要望にこたえるために、テーブ

---

[3] **進行性核上性麻痺**
介護保険の特定疾病にも指定されている脳の疾病。40代以降に発症し、徐々に進行する。眼球運動障害、転倒しやすさ、歩行障害、頸部後屈位等がみられ、多くが数年で歩行困難となる。

ルの上に台を使用すると自力摂取ができた。

　しかし、その後飲みこみが悪くなり、嚥下食を半分と栄養補助食品摂取に変更となる。後日、医師や言語聴覚士の評価を受け、水分の摂取をそのまますると、誤嚥をする危険性が高くなるため、お茶はゼリーで提供し、汁物はトロミ剤を使用するよう指示がでる。

　81歳になる年の3月には食事で何度もむせるようになり、VF（Videofluoroscopic examination of swallowing：嚥下造影）検査を行う。所見は「送りこみと嚥下反射の遅延あり。水溶性の食材はとろみをつけても気管内に誤嚥する」、支援計画は「水溶性食材はできるだけ使用せず、ゼリー対応する」となり、対応を変更した。

　同年5月に入り、さらに食事量の減少や嚥下機能の低下があり、Nさんの今後について家族で話し合いをしてもらうよう説明を行った。

　6月末には食事の飲みこみがむずかしくなり、点滴となり、1週間後、胃ろう造設前の腹部透視下検査を受ける。3日後IVH（Intravenous Hyperalimentation：中心静脈栄養法）❹を施行した。ところが、Nさんが翌日、IVHのチューブを引き抜こうとしているのを職員が発見した。そのときはチューブは引き抜かれず事なきをえたが、数日後に今度はIVHのガーゼをはずそうとしているのを発見した。その翌日にはIVHのチューブが切れているのも発見した。

　嘱託医が家族を呼び、「IVHをNさんが拒否するならば胃ろうでしか栄養確保はできないが、胃ろうは高齢者にとって最良の選択なのかは疑問という人もいるので、家族でよく話し合ってどうするのか決めてほしい」と説明があった。

　Nさんの3人の娘は以前に胃ろうの処置は父親の終末期に経験していた。「胃ろうは延命処置であり、IVHをいやがるNさんにとってそれは望まない処置なのではないか」と悩みながら話し合った。

　その結果、胃ろうを選択しないことをほかの家族に伝えた。すると、Nさんといっしょに暮らしていた孫が「胃ろうをしないということは、おばあちゃんは飢え死にしてしまうってことなんじゃないの？」と胃ろうを選択しないことに対する反対意見を娘たちに訴えた。孫たちは面会時にはNさんの好きな音楽を録音してきてイヤホンで聞かせたり、歯ブラシやデンタルフロスで口腔ケアもしていた。

　娘たちと孫たちはそれぞれNさんに対する想いを抱きながらどうしたらいいのか考えていった。そのあいだに栄養確保のため嘱託医にて経鼻カテーテルを挿入するも施設に戻った数時間後には抜去している。濃厚流動食を注入するも嘔吐するため中止した。数日後、経管チュー

❹IVH（中心静脈栄養法）
消化器官からの食物の消化・吸収が不可能、または不十分な場合に、心臓に近い太い静脈から輸液を行う方法。体外式や埋込式のカテーテルを使用し、高濃度の栄養素を投与することができる。

ブを挿入しようとするも口をモグモグされ入らず、涙を流すため中止し、点滴を施行した。

その日の夕方に孫の面会があり、両目をしっかり開け、表情をおだやかにしていた。最後に家族間の意志が胃ろうを造ることでまとまり、胃ろう造設となる。

健康状態

進行性核上性麻痺
高血圧症
摂食障害により胃ろう造設

日常生活の状況

移動・移乗：全介助で行う。座位保持が不安定なためリクライニング型車いすで移動している。定期的に体位変換を行っている。

身じたく：上肢の関節拘縮があるため着替えをしやすい**介護寝まき**❺を家族が用意し着ている。

食事：濃厚流動食（700〜800kcal）を1日2回胃ろうから摂取している。家族の希望と言語聴覚士のアドバイスのもと、体調がよいときはヨーグルトやゼリー類を全介助で経口摂取している。

排泄：布おむつとパッドを併用している。尿・便意を言葉で訴えることはできないが、排泄があるとからだの動きを多くして介護者に伝えている。

入浴・清潔保持：特殊浴にて週2回全介助で入浴している。

コミュニケーション：言葉を発することはできないが、問いかけに対して親指と人差し指で〇をつくって同意できる。拒否するときは両手の人差し指を交差して×をつくり意思を示すことができる。

性格

明るく社交的で、仕事に熱心に取り組んでいた。民謡を歌ったり踊ったりすることが好きで、コーラスグループや踊りの発表会に参加していた。介護老人福祉施設に入所してからもほかの利用者の世話をしてやさしく声をかけていた。

1日の過ごし方

ほぼ寝たきりの状況だが、日中は車いすで離床し、リハビリテーションや行事などに参加している。

---

❺**介護寝まき**
袖の部分が開くようになっているもの。

介護過程の展開

アセスメント

　Nさんは、言葉を発することはできなくても自分の意思を指や表情で伝えることができています。IVH（中心静脈栄養法）での治療を行ったときも自分でチューブを引き抜こうとする行為が2回ありました。家族もNさんの嚥下機能上、可能であれば、少しでも口から好きな物を食べてもらいたいと希望したため、言語聴覚士に嚥下機能を検査してもらいました。その結果時間はかかりますが飲みこみはできるため、そのことを医師に報告し、医師からギャッチアップ30°の角度でヨーグルトなどを摂取してもよいとの指示がでました。

◀ 情報の収集

◀ この行為から、口から食べたいという意思をくみとり、アドボカシー（代弁機能）を発揮できる

介護計画の立案

　アセスメントをふまえ、Nさんの体調に配慮しながらNさんが望む生活が送れるように、次の目標を設定しました。
① 退院後で体調が不安定であるため、体調よく過ごせる。
② 胃ろう部分が気になり無意識に触ってしまうため、胃ろう部分に異常がなく過ごせる。
③ 口から食べる楽しみをもつことができる。
④ 好きな音楽を聞いたりテレビを観て楽しんだりすることができる。
具体的には次のような支援を行うことにしました。
❶ 介護者の問いかけに対し表情や指で意思を伝えることができるため、訪室時のバイタルチェックと声かけを行って体調と意思を確認する。
❷ 胃ろうへの違和感があって触ってしまうため腹帯で保護し、きつくないか随時Nさんに確認する。また胃ろう部分の洗浄や消毒など清潔保持に努める。
❸ 体調のよいときに離床し、リクライニングを30°アップしヨーグルトの摂取介助を行う。
❹ Nさんが好きな音楽のCDを家族に持参してもらい、ベッドで過ごすときに聴こえるようにする。テレビはどの番組がよいか画面を見て選んでもらい、楽しい時間が過ごせるようにする。

◀ 口から食べたいという本人の希望とともに胃ろうのリスクへの対応も考慮する

◀ 具体的な支援内容

介護の実施

① 「退院後で体調が不安定であるため、体調よく過ごせる」という目標については、訪室時や介護を行う際に顔色・表情・声かけに対する反応などで確認しました。

> 医療職との連携ができている

変化がみられた場合は看護職員に連絡し、対応を行ってもらい、体調に応じて援助しました。夕方の経管栄養注入後に嘔気を訴えるときがあり、その際は看護職員と連携をとり側臥位にするなど安全に過ごせるよう支援しました。

② 「胃ろう部分が気になり無意識に触ってしまうため、胃ろう部分に異常がなく過ごせる」という目標については、訪室時やケア提供時にPEG（Percutaneous Endoscopic Gastrostomy：経皮内視鏡的胃ろう造設術）とPEG部分を保護しているガーゼを確認することで異常なく過ごせました。PEGを抜去してしまう危険性があるときは腹帯を使用し様子をみました。腹帯のしめつけがきついときはからだを頻繁に動かし、きつさを訴えるため、腹帯をゆるめる介助を行いました。その結果、少しずつ胃ろう部分を触ることが減っていき、翌年には腹帯をはずすことができました。

> リスク回避だけでなく快適の視点にも着目

③ 「口から食べる楽しみをもつことができる」という目標については、安全に介助を行い、摂取量を把握するため経口摂取経過記録表を使用して、日時・摂取したもの・量・気づきを介護福祉職が記入し、情報の共有をはかりました。また、家族の協力をえてNさんが好む食材をもってきてもらいました。好きなプリンのときは飲みこみがよく、摂取量も増えていました。口を開けないときは、問いかけると「いらない」という意思表示もされました。

④ 「好きな音楽を聞いたりテレビを観て楽しんだりすることができる」という目標については、家族が何枚もCDを持参していて、言葉で説明し、順番に替えて聴けるように援助しました。テレビは画面を順番に見せて、どの番組が見たいかたずね、表情や指で示してもらいました。

評価

計画にそって支援を行って6か月が経過した時点で評価を行いました。

> 変更・修正の必要性の検討

Nさんは体調も安定し、経管栄養注入や経口摂取時に車いすで離床

して過ごすこともできました。しかし身体機能の低下で寝返りがむずかしくなり、褥瘡ができる危険性が高いためエアマットの導入と体位変換、皮膚状態の確認を開始しました。また経管栄養注入による嘔気・嘔吐も続き、注入を中止することが増え始め、体調確認と状況に応じた支援が求められるようになりました。

臥床時間が長くなったため、体調のよいときは散歩をしたり、ホールで音楽を聴くなど離床機会の確保が課題となり支援を進めていくことになりました。

84歳の年の6月、発熱が起こりました。痰のからみもあり吸引を行いました。その後も熱発と痰吸引を行う日が増え、7月にSpO$_2$（Saturation of percutaneous oxygen：動脈血酸素飽和度）が86％となり、医師の指示で酸素吸入が開始されました。

その後、体調が不安定な日が続き、12月には誤嚥性肺炎で入院となり、年が明けて1月には退院するも、数日後に肺炎で再度入院しました。入院が長期化したため4月に介護老人福祉施設は退所となりました。

入院中も酸素吸入と痰吸引は続き、離床ができないため、家族がポジショニングクッションを購入し安楽な姿勢で過ごせるようにしました。孫の1人が「おじいちゃんは痰がからんで苦しそうだったから、おばあちゃんには口腔ケアをしてあげたい」と希望して言語聴覚士の資格を取り、面会時には毎回ていねいに口腔内の清拭を行っていました。

全身状態の悪化がみられましたが、86歳のときに、はじめて孫が結婚することになり、面会時には家族が「結婚式までがんばってね、おばあちゃん」と声をかけて力づけていました。

結婚式には娘や孫が集まり、無事終えたあとにNさんは報告を聴き、安心されたのか5日後に息を引きとりました。

◆ 解説

医療的な処置が必要な利用者にかかわる場合は、まず原因疾患の理解が重要です。

疾患名・症状に始まり、難病という特殊な疾患においてはとくにどのような経過をたどるのか理解しておく必要があります。医師・看護師と

の協働をはかり、そのときの状態に応じた支援を適切に行っていきます。小さな変化でも看護職員に報告し連携して支援を進めましょう。

利用者はベッド上での単調な生活になりがちですが、離床の機会を確保して季節を身体で感じてもらうなど、五感へのはたらきかけを行っていきましょう。

環境を整えることも大切です。安楽に過ごすには、寝具を何にするのか、マットのかたさ、布団の種類、シーツやカバーの肌触りなども配慮しましょう。臥床時間が長くなると褥瘡予防のため、エアーマットの導入も必要になります。

ポジショニングクッションも本人に合ったものを準備して当て方を検討します。痰のからみがあれば、常に口腔内の状況を確認し口腔ケアをこまめに行って本人に負担をかけないように心がけます。また、痰を出やすくするためにも水分補給をこまめに行うことも必要です。

痰の吸引は知識と技術を身につけて実施しますが、吸引という行為が利用者本人にとってどのようなものなのか、深く理解することが求められます。吸引をする前に介護福祉士が行えることを学び、それを実践できれば、利用者は安楽に過ごすことができるのではないでしょうか。

また発語がむずかしくなった方に対しては、声かけがわからないと決めつけずコミュニケーションを工夫しましょう。事例のように指や表情やからだの動きで介護者にサインを送ってくれます。障害があっても自分の意思を他者に伝えることができるようにかかわり、そのサインを受けとれるような感性や柔軟な発想が求められます。

医療が中心の生活でも、豊かな生活を送ることができるようさまざまな視点から利用者を理解し、必要な支援を考えていきましょう。

Nさんは長期間、施設と病院で生活していましたが、3人の娘さんと孫たちが頻繁に訪れ、車いすでの散歩や爪切り・手足のマッサージなどをしていました。限られた時間と環境のなかで、家族が気軽に面会でき、ゆったりとNさんといっしょに過ごしてもらえるよう配慮して支援していきました。また面会時にはNさんの体調や日々の様子などを伝え、家族からも聞きたいことがあれば気兼ねなく聞いてもらえるような関係づくりに努めました。

経口摂取が困難となり、誤嚥性肺炎の危険性がある場合、医師は胃ろうの造設をすすめることがあります。

この家族の場合、「おじいちゃん」のときに胃ろう造設の経験があり、

それをふまえた結果、家族の立場によって意見が分かれることになりました。

介護福祉職は、胃ろう造設をする・しないのどちらが正解かではなく、家族の思いを1人ひとり受けとめ、本人の意思を尊重したうえで、家族のあいだで胃ろうを造設するかどうか悔いのない決定ができるような支援を行います。このような家族支援の視点も、介護福祉士の重要な責務です。

事例5　片麻痺のある高齢者の夢の実現に向けた支援

事例の概要

プロフィール

Tさん
性別：男性
年齢：72歳
生活環境：介護老人保健施設入所（2か月後の帰宅を目標にリハビリテーションを実施中）
要介護度：要介護2
障害高齢者の日常生活自立度：A1

家族構成および生活歴

　Tさんは、瀬戸内海にある小さな島で、農業と乳牛2頭の酪農を営む両親のもと三男二女の長男として生まれた。生活はくるしく、新聞配達をしながら中学を卒業し、働きながらU県の夜間の大学を卒業した。U県では政治家の秘書として働いていたが、30歳のときに帰省し、日本電信電話公社（現NTT）に就職した。その後、結婚して一男三女をもうけたが、長男は生後1週間で死亡した。
　45歳のとき、地元の仲間といっしょに休暇を利用して、長男の供養のために2年がかりで**四国八十八か所の遍路参り**❻をした。その後、55歳のとき、島の実家の両親のために2度目の遍路参りをした。60歳で定年退職したあとは、年金生活で、釣りと家庭菜園を楽しみながら暮らしていた。65歳のとき、亡くなった弟や姉のために3度目の遍路参りをした。75歳になったら、自分と家族のために人生最後の遍路参りをすることが夢であったが、その前に脳梗塞で倒れて入院した。4

❻**四国八十八か所の遍路参り**
四国を一周ぐるりと囲むように点在する弘法大師空海ゆかりの八十八の札所寺院を巡礼する。

度目の遍路参りは断念した。

　現在、長女は隣の市に、三女は同じ市内に住んでおり、次女は20年前に離婚して実家に帰り、Tさんの妻と同居している。

入所にいたった理由

　58歳のときに、職場の健康診断で高血圧と診断され、近くの内科医院を受診した。内服薬にて長いあいだ血圧をコントロールしていた。71歳のとき、家庭菜園から帰ったあと、気分が悪くなり嘔吐し、夜中にトイレに行こうと思ったが右足がしびれて立てなかった。翌朝、V病院を受診し脳梗塞と診断され、そのまま入院となった。2か月間、治療とリハビリテーションを受け、歩行器で歩けるようになったが、後遺症として右片麻痺と軽い言語障害が残った。自宅は段差も多く、すぐに自宅に戻ることはむずかしいため、在宅復帰の目的で自宅近くにある介護老人保健施設に入所となった。

健康状態

脳梗塞：右片麻痺、軽い言語障害

日常生活の状況

起居・移動：左足で右足をすくって起き上がり端座位になることができる。退院直後は歩行器を使用して歩いていたが、約1か月のリハビリテーションにより短下肢装具をつけて、20m程度の歩行が可能となった。段差を越えるときに少しふらつくため、見守りが必要である。

身じたく：歯みがき、うがい、洗面は自立している。着替えは、靴下をはくのに時間がかかるため、妻が来たときは介助を依頼している。現在は、ほとんどトレーナーを着て過ごしているが、ボタンもきちんととめることができる。

食事：普通食で自力摂取可能である。魚などは職員が身をほぐしておく。細かいものは、右手を使って太い柄のスプーンで食べる。

排泄：日中は自力でトイレに行くが、夜間は、ふらつくことがあるので尿器で排尿している。排便は1日1回あるが、便がかたく、また毎日排便があるように、夕食後に、便をやわらかくするための薬を服用している。

入浴：一般浴で一部介助が必要である。

コミュニケーション：構音障害[7]があるが、言葉の意味は十分理解で

---

[7] 構音障害
構音とは、喉や舌などを使って、語音をつくり出すことをいう。構音障害とは、発音が上手にできず、常にある音が誤ったり、脱落したりすることをいう。

性格

人柄がよく、だれとでも楽しく話すことができる。自分のことで、家族やまわりの人に迷惑をかけてはいけないと思い、リハビリテーションは周囲も感心するほどがんばっている（廊下を朝、昼、夕方と一生懸命に歩いている）。職員が声をかけると必ず「ありがとう」と言う。レクリエーションはあまり好きではないようである。毎朝、新聞にきちんと目を通している。

介護過程の展開

アセスメント

Tさんは、「倒れたときはもう歩くことはできないと思っていたのに、こんなに歩くことができるようになった。もう一度家に帰って自宅で生活したい」と、2か月後の帰宅を目標に積極的にリハビリテーションにはげんでいます。

あるとき、介護福祉職が歩行の練習をしているTさんに、「Tさんの夢は何ですか？　どうしてそんなにがんばることができるのですか？」と聞いたところ、これまで死んだ息子や両親、弟や姉のために3度、四国八十八か所の遍路参りをしてきたこと、次は自分や家族のために参ろうと思っていた矢先にこの病気になってしまい、現在は歩くことがやっとなので、夢であった4度目の遍路参りは無理だとあきらめていることを話してくれました。

また、先週は、次女が1か所だけでもお参りをしようと、近くの札所（四国八十八か所のお寺の1つ）に車で行き、境内へは車いすで行ったこと、そのときに、夢にまで見た**錦のお札**❽をいただいて感激したことを興奮気味に話してくれました。このとき、「錦のお札をはじめて見たが、弘法大師様がはげまして見守ってくれているように思った」と、涙ぐんでいたことから、

錦のお札

---

❽ **錦のお札**
四国八十八か所のお参りをするときにお遍路さんが、1枚ずつ納めるお札（納札）で、白（お参りが1～4回）・緑（5～7回）・赤（8～24回）・銀（25～49回）・金（50～99回）・錦（100回以上）の5種類がある。錦のお札を納めることができるのは、「元気で、家族に理解があり、御先祖様が守ってくださり、お金（経済的な余裕）があり、お参りできる時間がある」という意味もあり、めったにいただくことのできないありがたいお札である。これを納札箱に見つけたり、お札をもっている本人からいただいて帰り、家宝にする。

▸ 情報の収集

▸ なにげない会話からTさんのライフワークの情報を引き出している

> 「あきらめた」という言葉とは裏腹に、気持ちのうえではあきらめきれずにいることに気づいている

ライフワークである遍路参りをあきらめきれずにいることがわかりました。

Tさんの話を聞いた介護福祉職は、「Tさんは、市内の札所だけでもお参りをしたいと思っているのではないか」「今回は自分や家族のためにお参りする予定であったのでとくにこだわっているのではないか」と思い、その日のケアカンファレンスで報告・相談してみました。

ケアカンファレンスでは、「自宅に帰ることだけでなく、遍路参りを目標とすることで、退所後のより具体的な人生設計ができるのではないか」「今のTさんの様子であれば、全行程をお参りする方法もあるのではないか」という意見でまとまりました。早速Tさんに「無理をせず、何年かかってもよいので、4度目のお遍路参りをしませんか？」「そのために必要な準備をいっしょに考えてみませんか」と提案してみました。この介護福祉職の言葉にTさんは、「生きていてよかった……。弘法大師様が守ってくれるのだ……」と涙ぐんで喜んでいました。

介護計画の立案

もともとは「在宅復帰」を目標として、ケアプラン（施設サービス計画）や介護計画（個別援助計画）を立て、リハビリテーションを中心に支援を行っていましたが、今回、「Tさんの夢である4度目の遍路参りを実現させること」を目標に加え、そのために必要なことをTさんといっしょに検討しました。

> 課題の明確化

まず、現在Tさんは、施設内で平坦な廊下を歩く訓練と自宅内の段差を越えられる程度の訓練しか行っていません。また、歩行距離についても50mくらいを目標にしていました。しかし、お参りをするためには、かなり高い段差や砂利道を安全に歩くことができる必要があります。さらに、ほとんどのお寺は山の中にあるため、傾斜が厳しく、なおかつ階段には手すりがない場合があります。境内の階段も1段の高さが高いため、かなりの下肢筋力とバランス感覚が必要であることが考えられました。

また、お参りをするためには、お札を書かなければなりません。Tさんは利き手である右手に麻痺があり、不自由さはありますが、Tさんの希望により右手で文字を書く練習を行うことにしました。このとき、「筆ペン」を利用すると、筆圧が少なくより小さい力ですむこと、右手の親指と人差し指のあいだにペンをはさみ、幅の広いゴムで固定すると安定することがわかり、この方法で練習することとしました。

札所間の移動についてはTさんの3人の娘やその家族が車を用意して同行することになりました。「1番」からの順番どおりではありませんが、まずは近隣の札所からお参りをすることにしました。

Tさんを交えてのミーティングを何回も重ねた結果、遍路参りへ向けたTさんの目標を次のように設定しました（実施期間2か月）。

① 筆ペンでお札を書くことができる。
② 連続して20〜30分間、杖で歩くことができる。
③ 30cm程度の高い段差を手すりなしで上がることができる。
④ 上り下りのある傾斜道を歩くことができる。
⑤ 車の乗降、20〜30分程度の車での移動ができる。
⑥ 立ったまま杖を持ち、お経をとなえることができる。

Tさんは「全部は無理だとしても、少しでもお参りできたら本当にうれしいなあ」とニコニコしていました。

◀ 目標の設定

介護の実施

計画を実行する前に、近くの札所の住職に話を聞くことにしました。住職は喜んで来てくれ、遍路参りは、形にとらわれなくてもよいこと、Tさんのようなからだに不自由のある人もたくさんお参りしていること、**同行二人**[9]の名のごとく弘法大師様が見守ってくれていることを話してくれました。

この話を聞いてTさんは勇気がわいてきた様子で、ますますリハビリテーションにはげむようになりました。

目標①については、文字を書く練習を続けた結果、時にはお札からはみ出しながら、毎日少しずつ書いていくことができました。

目標②、③、④については駐車場から本堂までの距離を想定して、毎日、朝・昼・夜の1日3回、各30分間の歩行訓練を行いました。毎回、特定の札所を想定し、「今日は○○のお寺と思って……」「あそこの階段は高いから」「境内にはスロープがついているから」など、これまで3度お参りしている経験をいかし、実際の段差や傾斜を想定して、スタッフも驚くほどの熱心さで取り組んでいました。

境内の階段が上れないときは無理をせずに、階段の下からお参りしても差し支えないことを住職から聞いていたため、気が軽くなっているようでした。また施設内だけでは十分な練習ができないため、施設の周辺を散歩するメニューも取り入れることにしました。

◀ 実施の前に、Tさんの不安を軽減することを考えている

[9] 同行二人
どんなにつらいときでも、1人ではなく弘法大師といっしょであるという意味。巡礼者は、これを菅笠に書いてお遍路参りをする。

目標⑤については、休みのときに家族が車で来て、Tさんといっしょにドライブに出かけるようになりました。車の乗降や30分程度の移動は、とくに問題なくこなすことができました。
　目標⑥については、お経はほとんどおぼえていたため、杖で安定した立位になり大きくはっきりとした言葉で練習することができました。

評価

　約1か月半実施した結果、Tさんは、願いをこめてお札を書くことができました。お札を自分で書くということは、それを他人に託しても自分がお参りしたのと同じ意味があるといわれています。
　また、下肢筋力と体力が十分について、30分間歩いても疲れなくなりました。さらに、階段の昇降においても、杖や手すりを上手に使えるようになりました。手すりのない階段のところは、介護者が麻痺のある右側について介助する必要がありますが、家族もリハビリテーションに参加していたため、自然にできるようになりました。

> 家族に介護の方法を指導することも介護福祉士の業務として位置づけられている

　訓練を始めて1か月半後の日曜日。娘2人につきそわれて、市内の札所にお参りに行ってみました。このお寺は平地にあるため、Tさんは何の問題もなくお参りすることができました。とても満足し、これまでの訓練の成果を実感することができて、自信にもなりました。

＊　　＊　　＊

　2か月後、Tさんは予定どおり退所しました。自宅に戻ったTさんは、早速、隣の市のお寺にお参りしたとのことでした。報告のはがきには、しっかりした文字で、「念のため、車いすと健康保険証を持って行きました」と、書かれていました。

◆ 解説

　この事例では、72歳と高齢でありながら、ライフワークである四国八十八か所の遍路参りに行こうとしていたTさんの気持ちを、介護福祉職がなにげない会話から引き出しています。またTさんは、言葉では「あきらめた」と言っていますが、錦のお札をいただいたことにより、再び夢を実現したいという気持ちになっていることにも気づくことができました。
　Tさんの気持ちに気づいた介護福祉職が、さまざまな職種が意見を出

し合うケアカンファレンスの場で相談してみたところ、「可能性があるならやってみよう」と、夢の実現に向けた取り組みが始まりました。この介護福祉職の気づきやケアチームの可能性にかける姿勢がなければ、「麻痺があるし、高齢だから」という理由で「不可能」と決めつけてしまっていたかもしれません。そうであれば、Tさんのその後の人生は、まったく異なるものになっていたと思われます。

　Tさんは、「夢の実現」という新しい目標（＝生きがい）をもつことができたことによって、ますます生き生きとリハビリテーションにはげむようになり、家族もTさんを自然に応援することができたのだと思われます。

事例6　災害によって生活環境を大きく変化せざるをえなかった高齢者への支援

事例の概要

プロフィール

Wさん
性別：女性
年齢：90歳
生活環境：民間賃貸住宅借上げ制度（みなし仮設、一戸建て（住み慣れた地域に戻って暮らしたいと希望している））
要介護度：要介護1
認知症高齢者の日常生活自立度：Ⅱa
障害高齢者の日常生活自立度：A1

家族構成および生活歴

　5人きょうだいの4番目としてX県に生まれた。23歳で結婚し、3人の子どもに恵まれる。夫婦で農業を営みながら地域の自治会活動にも積極的に参加し、趣味の旅行やゲートボールを楽しんでいた。加齢にともなって外出頻度は減ってきたものの、ちょっとした買い物や地域の行事へは参加していた。住まいは借家で長男夫婦と同居し、日中長男夫婦が仕事に出ているあいだは夫（要介護3）といっしょに過ごしていた。

88歳のとき、地元に震度7の大地震があり、借家が全壊し、住み慣れた地域に暮らし続けることができなくなった。避難所から長女や孫の家を転々とし、3か月後に隣接する自治体の民間賃貸住宅借上げ制度による住宅（みなし仮設）へ転居となった。同居していた夫は、ADL（Activities of Daily Living：日常生活動作）の状況から避難所生活ができなかったため、地震前に利用していた通所介護（デイサービス）に併設している介護老人福祉施設の短期入所生活介護（ショートステイ）に地震直後から入所した。地震の1年後、夫はショートステイ中に体調をくずし、病院へ入院後そのまま亡くなったため、現在は長男夫婦と3人で暮らしている。

健康状態

　50歳ごろよりリウマチの症状が出はじめたため入退院をくり返す。70歳ごろからは手指や足指に痛みと変形がみられ、段差につまずきやすくなった。自宅で何度か転倒したこともある。手足の関節の痛みは薬でコントロールしているが、加齢にともなう腎機能の低下で使える薬が限られている。

　地震後からもの忘れがみられるようになり、夫が亡くなったあとからは意欲が低下し、鍋を焦がしてしまうこともみられるようになった。

生活機能

姿勢：リウマチによる左足指の変形がある。両手指も変形のため屈曲に制限があり、にぎりこぶしをつくることができない。円背はあるが、ゆっくり伸ばすことができるため仰臥位は可能である。

コミュニケーション：やや聞こえづらさがあるものの、大きい声で話をすれば聞きとることができる。自分の意思を伝えることもできる。

移動・移乗：屋内は壁や家具をつたい歩きでゆっくり移動する。足が上がりづらくなり歩行バランスが悪くてふらつきがみられ、少しの段差でつまずき転倒したことが数回ある。屋外はシルバーカーを使用し、見守りが必要である。地震後は外出の頻度が極端に減っている。

衣服の着脱：衣類は自分で選択できる。上衣は背中の衣服を整える一部介助が必要である。ボタンのかけ外し動作は困難で全介助が必要である。靴は一部介助が必要である。

食事：箸を使用し、自力で摂取できる。水分にむせることはあるが、誤嚥はない。

排泄：トイレで排尿・排便ができる。排泄の失敗があり、はくタイプ

のおむつとパッドを使用している。パッドの交換は自分でできる。便が漏れることはないが、トイレの流し忘れがある。

入浴：浴槽は、和式タイプで据置式、手すりもなく1人では入浴できない。手が届く範囲は自分で洗えるが、背部や足先を洗ったり、浴槽の出入りについては一部介助が必要である。現在は通所介護で入浴している。

爪切り：手指や足指の変形で力が入りにくいため全介助が必要である。

家事：地震前は留守番をしながら簡単な家事（一品料理、洗濯物たたみなど）を行っていた。地震後は、火の消し忘れから鍋を焦がすようになり、長男の妻がすべて行っている。

参加：趣味はゲートボールだったが、今はとくにない。

以前は地域行事へ積極的に参加していたが、地震後は地域との交流はまったくない。

家族以外との交流がほとんどないうえ、日中は独居状態になり、「1人でさびしい」と言うようになる。夫が入院中は、家族の都合がつかずなかなか面会に行けないので、「お父さんはどうしてる？」といつも気にしていた。

背景因子

環境因子：借家で夫と長男夫婦とで同居していたころは、近隣となじみの関係があった。地震後は避難所や親族の家を転々としたあと、3か月後に隣接する自治体のみなし仮設に転居した。みなし仮設では集会所がないので近所との交流はない。外出は週2回の通所介護のみで、送迎の介護福祉職が来るのを楽しみにしている。

個人因子：性格は、がんばり屋でがまん強い。しかし、震災と夫の死という二重のショックから気分の落ちこみが大きく、活気なくぼんやりしていることが多くなった。

支援体制

地震後、みなし仮設への転居をきっかけにひきこもりがちになったWさんを心配した家族は、介護保険の認定申請の手続きを行い、要支援2の結果が出たため、地域包括支援センターの介護支援専門員（ケアマネジャー）に相談して、みなし仮設のある地域の介護保険事業所で週2回通所介護を利用しはじめた。しかし、夫の死をきっかけに意欲低下が進み、足腰の痛みが出たりもの忘れや鍋を焦がしてしまうことがみられたりするようになってきた。そこで、介護支援専門員はW

さんと家族に相談し、要支援認定の区分変更申請をした。すると要介護1となったため、夫の担当をしていた居宅介護支援事業所の介護支援専門員にWさんの担当をひきついだ。Wさんは、足の力をつけたいとリハビリテーションを希望したため、週3回（火、木、土）の通所リハビリテーションと、みなし仮設の生活環境を整える福祉用具貸与（手すり）を介護保険サービスで利用した（表5－1）。

地震直後より「家族みんなでいっしょに暮らしたい」との思いが家族内にあったが、経済的・物理的な理由から自力での再建はむずかしく、当面は公的な制度（被災者支援の各種制度）を活用することにした。まずは、住まいを確保するために「罹災証明書」の交付手続きをとり、みなし仮設に入居しながら、公営住宅を申し込むが抽選にはずれてしまう。新しく家を建てるには長男夫婦とWさんの二世帯では困難で、同じく被災した孫を含めて家族会議を開き、今後の生活再建について模索している（表5－2）。

表5－1　介護保険サービスの利用状況（要介護1）

	月	火	水	木	金	土	日
深夜							
早朝							
午前		通所リハビリテーション		通所リハビリテーション		通所リハビリテーション	
午後		アクティビティ　入浴　リハビリテーション		アクティビティ　入浴　リハビリテーション		アクティビティ　入浴　リハビリテーション	
夜間							
深夜							

福祉用具貸与：玄関・トイレの手すりのレンタル

表5-2 災害における生活再建のための各種制度

＜生活資金や生活再建の資金に関する支援＞
　災害見舞金の支給　災害義援金の支給
　被災者生活再建支援金（基礎支援金）の支給
　国民健康保険料の減免
　後期高齢者医療保険料の減免　後期高齢者医療費の一部負担金の還付
　介護保険料の減免　介護保険サービス利用料の還付
　民間賃貸住宅借り上げ制度による住宅の提供（みなし仮設）
　被災者生活再建加算支援金の支給

介護過程の展開

アセスメント

　地震前のWさんには、「住み慣れた家で夫といっしょに、共働きの長男夫婦の手伝いをしながら、近所のなじみの人たちとおだやかに暮らしていきたい」という思いがあったと考えられます。しかし、突然の地震によって住み慣れた借家が全壊し、避難所、長女宅、孫宅と転居をくり返す安定しない生活状況の末に、ようやく隣接する自治体にあるみなし仮設へ入居できることになりました。

　ところが、慣れない生活環境はWさんのそれまでの生活を一変させ、他者との交流もないことで気持ちの張りがしだいに失せていったようでした。それでも、生活を立て直そうと日々がんばっている長男夫婦や家族の姿をみていたWさんは「家族に迷惑をかけることなく過ごしたい」「いつかは地震前の住み慣れた土地に帰りたい」と思っているようでした。

　そこで、以下のアセスメントを経てWさんの3つの生活課題（ニーズ）を導き出し、地震前のもとの生活に近づけるような支援を、Wさんの意向にそいながら、家族を含めたケアチームで連携しながら支えていくことにしました。

アセスメント①

　Wさんは「話し相手がいない」「夫が亡くなってさびしい」と涙ぐみながら話すことがありました。まわりに知り合いがいない孤独感と、夫という大事な存在を失った喪失感は、Wさんの生活意欲を低下させ

ていると考えられました。一般的に、急激な環境の変化と慣れない避難生活が高齢者に与える影響として、認知症の症状を誘発・悪化させる可能性があります。Wさんの場合、夫の死という心理的なストレスも重なったことで、認知機能を低下させたと考えます。

また、みなし仮設という慣れない生活環境では、「家族の役に立ちたい」と昔からやっていた家事1つをとってもうまくいきません。家族のための食事づくりは、鍋を焦がしたことをきっかけに家族から止められてしまいました。簡単な家事をする機会がうばわれてしまったWさんは、主婦として長年になってきた役割を失ったことで自信を失い、生活意欲を失っていったと考えられました。

> **自立の視点**

そこで、生活課題❶は「話し相手もなく日中1人で家に閉じこもっているWさんが、自分のもっている能力をいかしながら生活意欲を取り戻す」に設定しました。

アセスメント②

「家族に迷惑をかけたくない。家族の役に立ちたい」と思っているWさんでしたが、閉じこもりがちの生活は下肢筋力の低下や認知機能の低下といった廃用症候群（生活不活発病）を引き起こしました。

また、みなし仮設の玄関やトイレは、使い慣れた環境ではないうえにつかまる所もなかったので、転倒しやすく危険でした。風呂場についても同様で、以前のように1人で入るにはむずかしい環境でした。これらのことから、Wさんのみなし仮設でのADLには転倒の危険があると考えました。

> **安全の視点**

そこで、生活課題❷は「日常生活動作を安心・安全にできる住環境を整える」に設定しました。

アセスメント③

リウマチの痛みを本人が自覚するようになったのは地震後からだったことから、痛みを引き起こしている原因は疾病（リウマチ）だけではなく、いくつかの原因が関係し合っているのではないかと考えました。

Wさんのがまん強い性格から、痛みを介護福祉職に訴えることはほとんどありませんが、その表情や動作から痛みをがまんしていることが推察できました。痛みの強弱は、日内変動もありますが、さびしさや喪失感といった日常生活の出来事に大きく関係しているようでした。

この「痛み」がWさんの行動を制限し、積極性を失わせ、Wさんらしさを失わせてしまっている可能性があり、このままでは廃用症候群を悪化させてしまうと予測できました。

そこで、生活課題❸は「Wさんを悩ます痛みを軽減させて快適な心身の状態にする」に設定しました。

▶ 快適の視点

介護計画の立案

長期目標：地震によって大きく変化した生活を少しでももとの状態に近づけることで、生活を再構築できる。

短期目標：① 昔できていた主婦としての役割を通して意欲を取り戻す（生活課題❶より）。
　　　　　② 家族といっしょの時間を過ごすことで夫の喪失感が軽減できる（生活課題❶より）。
　　　　　③ 1人で安心・安全にできる動作が増えるような住環境を整える（生活課題❷より）。
　　　　　④ 心身の痛みの原因を探り軽減できる（生活課題❸より）。

具体的支援内容および介護の実施

① 通所リハビリテーションのアクティビティでは、家族から聞きとったWさんの得意料理「芋のてんぷら」を介護福祉職といっしょにつくりました。

Wさんはリウマチによる手指の変形があるため、ピーラーで皮をむく、水を足して衣をつくるなど、できる作業をしてもらいました。「芋は、どれくらいの厚さにしますか」「衣のかたさはこれくらいでいいですか」など、本人のできない部分は確認しながら介護福祉職が行いました。

▶ 残存機能の活用と失っていた役割を再度獲得しようとしている

作業をしながら「昔は芋しかなかったけど、子どもたちは好きだったね」と会話も弾みました。ほかにも、茶碗洗いやテーブル拭きといった無理なくできることをしてもらいました。介護福祉職が感謝の言葉を伝えると、「いつでもどうぞ」と笑顔で返されました。

この日、Wさんは仕事から帰ってきた長男の妻にこの話をされたそうで、通所リハビリテーションの連絡帳には「まだ、できることがあるんですね」と長男の妻の感想が書かれていました。

② 家族といっしょの時間を過ごすために、通所リハビリテーションでは外出レクリエーションの行き先を思い出の植木市に設定しました。介護福祉職がWさんに植木市へ行くことを伝えると「毎年、夫や娘とよく行ってました。好きな花の苗木を買ってきて、庭で育てていました」とうれしそうに思い出話をされました。

また、「当日まで体調をくずさないように」とうがい・手洗いをこまめにみずからするようになり、外出を楽しみにされている様子が伝わってきました。

外出当日は、離れて暮らす長女の協力をえられるように調整をし、Wさんの歩行状態と介助の留意点を説明して、転倒に気をつけて同行してもらうようにお願いしました。

Wさんは大好きな団子を食べたり、「この椿はお父さんが大好きだったね」と苗木を見たりしながら、長女との時間を過ごされました。長女からは「久しぶりに父の話を母とゆっくりしたので、こころが軽くなりました」と言われました。

> 夫の死をまずは受け入れる悲嘆のケア・悲しみの受容ができた

その後、Wさんは植木市の話をするたびに亡くなった夫の思い出話もされるようになりました。そこで介護福祉職は、Wさんの話を傾聴するようにしました。

③ みなし仮設は持ち家ではないため住宅改修がむずかしく、Wさんの転倒しやすい箇所（玄関・トイレ）を介護支援専門員と福祉用具専門相談員が、本人や家族に確認して設置型の手すりをレンタルすることにしました。

玄関の昇降動作は手すりを使うようになって安定しましたが、手すりを忘れて立ったまま靴をはこうとすることがたびたびあり、送迎の介護福祉職による声かけが必要でした。トイレは「手すりがついて、立ち上がりが楽になった」と喜ばれ、機能性尿失禁が減りました。入浴は、Wさんの下肢筋力の低下とマンパワー不足から自宅ではむずかしい状況だったので、通所リハビリテーションで入浴サービスを利用し、介護福祉職による一部介助で安心して入浴できるようにしました。

④ Wさんの「痛み」は、リウマチによる関節痛が悪化した以外にも、避難生活のストレスや自信の喪失、夫との死別といった、複合的な原因によるものと考えられました。そこで居宅介護支援事業所の介護支援専門員がサービス担当者会議を設定し、本人、家族、介護支援専門員、介護福祉職、医師、看護職、理学療法士、作業療法士が

それぞれの立場から痛みの原因分析とその軽減に対するアプローチを話し合いました。そのなかで介護福祉職は、Wさんの代弁者としての役割をにないました。こうして、Wさんのケアプランをもとに家族を含めたケアチームで連携・協働体制をつくりました。

　介護福祉職のかかわりとしては、弱音をはかないWさんの痛みの状態を把握するために、声をかけたり観察することから始めました。そうするうちに、Wさんが自分から痛みを伝えてくれるようになり、痛みに応じた適切な対応が可能になりました。

> アドボカシー（代弁機能）を発揮

役割の一例　医師：疾患の治療、看護職：健康状態の管理、薬剤師：服用できる薬の検討、理学療法士：下肢筋力の向上、作業療法士：自助具の工夫、家族：悲嘆のケア　など

評価

① 　Wさんのストレングス（強み）に着目し、主婦としての役割を再現する場面をつくったことで、Wさんの残存機能がいかされ、自信を取り戻してもらうことにつながりました。またこの支援は、Wさんの意欲を取り戻すと同時に、家族の意識を変化させるきっかけにもなりました。地震後、Wさんの「できない」部分に目が向いていた家族は、連絡帳の感想からわかるように、得意料理をつくったと喜ぶWさんの様子から「できる」部分が残っていると気がつきました。これはWさんのなかにある「家族の役に立ちたい」という思いを家族に伝えることにつながりました。そして、その後の生活再建へ向けた家族のつながりを強めた支援の1つになりました。

② 　遺族として夫の死を分かち合える長女の存在は、Wさんがかかえる悲嘆を表出させることができました。また、共感をもって受けとめてくれる態度は、夫の死を受け入れるこころの整理につながったようでした。これ以降、Wさんは外出の話とあわせて夫の思い出話を介護福祉職にできるようになり、家族以外のこころの支えができたと考えます。それは、Wさんが現実を受けとめて前に進むきっかけになったようでした。これらのかかわりは、悲嘆ケア（グリーフケア）としての支援にもなりました。

③ 　環境の変化に適応できず心身機能が低下する悪循環で廃用症候群になったWさんでしたが、手すりを設置したことで安全にできる動作が増えました。

　通所リハビリテーションに通う際、認知機能の低下で時々手すり

の使用を忘れる場合は、送迎の介護福祉職による声かけで一連の動作を意識づけるように継続してはたらきかけています。

トイレの手すりの設置は、排泄動作を楽にできるようにし、機能性尿失禁の頻度が減ったのでパッド交換の回数も少なくなりました。これは、排泄という人間の尊厳にもっともかかわる動作を自立に近づけたことで、Wさんの自信を取り戻す効果があったと考えます。

入浴は通所リハビリテーションで入りながら、安全な入浴動作を獲得する目的から生活リハビリテーションとして今後も継続し、時期が来れば自宅で入れるように支援していくようにします。

④ 介護福祉職は、日ごろからWさんの心身の状態を観察し寄り添うことのできるいちばん身近な専門職です。Wさんの「痛み」が、(本人の思う以上に)生活全般に影響しているといち早く気がつき、多職種でかかわる必要性を介護支援専門員にはたらきかけ、サービス担当者会議を開くきっかけをつくりました。会議の結果、できあがったケアプランには、介護目標を定めてケアチーム全員が共有し、それぞれの専門性をいかした支援を実践できるように役割を明らかにしました。介護福祉職の役割は、Wさんとの信頼関係を築くこと、身近な存在として支援することで、かかわりの積み重ねからWさんの代弁者となり、心身の「痛み」の要因を引き出すような支援を可能にしていきました。

◆ 解説

この事例にでてくるWさんは、大規模な災害によって住み慣れた環境やなじみの関係が一度に失われてしまい、リロケーションダメージを受けながらも家族とともにもとの生活を取り戻したいと願い続けていました。非日常のなかにあっても毎日くり返される生活場面において、介護福祉職は専門性を発揮していきます。生活再建に向けて、もがいているWさんと家族の状態をプラスの視点でとらえ、それぞれがもつストレングスは何かを明らかにしながら支援することを基本的なスタンスとしています。

また、アセスメントにおいては「自立の視点」「安全の視点」「快適の視点」から意識的に生活課題を導き出しており、それらを押さえることで「介護福祉の理念」を、実際の介護過程および生活支援技術のなかに

実現しようとしました。介護計画については、長期目標と短期目標を明確にし、具体的な行動計画については明記していませんが、これは実施のなかに経過を書きましたので、みなさんが自由に考えて計画を立ててみるのもよいでしょう。

　現在、Wさんたち家族は住み慣れた地域（自治体）に新築の家を建て四世代で暮らしています。壮年期に差しかかった長男夫婦だけでは新たな住宅ローンを組むのはむずかしく、家族会議の結果、孫世帯もいっしょに同居することで地震前の地域に戻ることができました。新しい生活環境に再び移ることになったWさんでしたが、「今がいちばん幸せ」と生きがいをもって暮らしています。下肢の筋力低下はあるので通所リハビリテーションにも積極的に通っています。今のWさんには、家族や地域といったインフォーマルなサポートの影響がプラスにはたらいているようです。

　この事例で紹介したような事態は、いつ起こるか予測がつきにくいため、日ごろからの備え（災害訓練、緊急連絡網といった支援体制の構築、非常時の備蓄等）が大切です。また、非常時こそ介護福祉職は落ち着いて支援をする必要があります。基本となるのは利用者の生活を支え、その人らしく生きるための支援をすることです。それは、災害時であっても変わらないことをこころにとどめておいてください。

◆ 参考文献
- 後藤真澄・高橋美岐子編『災害時の要介護者へのケア――いのちとくらしの尊厳を守るために』中央法規出版、2014年
- 介護福祉士養成講座編集委員会編『新・介護福祉士養成講座7　生活支援技術Ⅱ　第3版』中央法規出版、2014年
- 内閣府「被災者支援に関する各種制度の概要」

索引

欧文

ICF ……………………… 10、42
ICFモデル ……………………… 42

あ

アセスメント ……………… 9、35、39、50、147
　…の視点 ……………………… 51
アセスメントシート ……………… 79
安全の視点 ……………………… 51
医学モデル ……………………… 72
生きがい ……………………… 9
インテーク ……………………… 146
インフォーマルサービス …… 146

か

介護過程 ……………………… 2
　…の意義 ……………………… 2
　…の全体像 ……………………… 9
　…の展開プロセス ……………… 3
　…の目的 ……………………… 5
介護計画 ……………………… 65
　…の修正 ……………………… 21
　…の内容 ……………………… 16
　…の目的 ……………………… 16
　…の立案 ……………………… 16、35
介護計画書 ……………………… 79
介護サービス計画 ……………… 31
介護支援専門員 ……………… 145
介護の実施 ……………… 17、35、76
　…の観点 ……………………… 18
快適の視点 ……………………… 51
活動（ICF） ……………………… 10
環境因子（ICF） ……………… 10
観察 ……………………… 11
観察力 ……………………… 11
客観的観察 ……………………… 12
業務日誌 ……………………… 79
居宅サービス計画 ……………… 31
居宅療養管理指導 ……………… 150
記録 ……………………… 20、79
　…の種類 ……………………… 79
　…の内容 ……………………… 79
ケアカンファレンス ……………… 154
　…の意義 ……………………… 154
ケアカンファレンス記録 ……… 79
ケアチーム ……………………… 156
ケアプラン … 31、146、148、150
ケアマネジメント ……………… 144
　…の構成要素 ……………… 145
　…の流れ ……………………… 146
　…の目的 ……………………… 145
ケアマネジャー ……………… 145
経過記録 ……………………… 79
ケースカンファレンス ………… 25
ケーススタディ ……………… 28
国際生活機能分類 ………… 10、42
個人因子（ICF） ……………… 10
個人情報の保護 ……………… 30
5W1H ……………………… 72
個別援助計画 …… 32、148、150
個別ケア ……………………… 7
個別サービス計画 ……………… 32

さ

サービス担当者会議 ………… 148
サービス等利用計画 ………… 31
参加（ICF） ……………………… 10
支援内容 ……………………… 71
支援の実施 ……………………… 148
支援方法 ……………………… 71
自己覚知 ……………………… 11
自己決定 ……………………… 7
自己選択 ……………………… 7
事故報告書 ……………………… 79
施設サービス計画 ……………… 31
実施評価表 ……………………… 79
社会資源 ……………………… 144
社会モデル ……………………… 72
主観的観察 ……………………… 12
受理面接 ……………………… 146
障害（ICF） ……………………… 10
情報 ……………………… 9
　…の解釈 ……………… 13、35、48
　…の関連づけ ……… 13、35、48
　…の取捨選択 ……………… 13
　…の統合化 ……………… 13、35、48
情報収集 ……………… 9、35、38
　…（間接的） ……………………… 41
　…（直接的） ……………………… 40
　…の意義 ……………………… 38
　…の方法 ……………… 10、40
情報収集シート ……………… 79
職場適応援助者 ……………… 157
ジョブコーチ ……………… 157
自立の視点 ……………………… 51
事例研究 ……………………… 28
　…の意義 ……………………… 28
　…の実施 ……………………… 29
　…の展開 ……………………… 29
　…の目的 ……………………… 29
事例検討 ……………………… 25
　…の意義 ……………………… 26
　…の実施 ……………………… 26
　…の展開 ……………………… 26
　…の目的 ……………………… 26
事例検討会 ……………………… 27
心身機能（ICF） ……………… 10
身体構造（ICF） ……………… 10
生活課題 ……………………… 15
　…の明確化 ……………………… 55
　…の優先度 ……………………… 15
生活機能（ICF） ……………… 10
相談支援専門員 ……………… 145
その人らしさ ……………………… 7
尊厳を守るケア ……………… 7

た

ターミナル期（事例） ……… 132
多職種連携 ……………… 17、19

短期目標……………………… 66
地域ケア会議………………… 25
チームアプローチ……… 153、156
　…の意義…………………… 156
長期目標……………………… 66
通所介護計画………………… 32
統合モデル…………………… 72

な

日常介護チェック表………… 79
認知症高齢者（事例）………… 94
脳血管疾患（事例）………… 120
脳性麻痺（事例）…………… 107

は

ヒヤリハット報告書………… 79
評価……………… 20、36、82、149
　…の意義………………… 20、82
　…の方法…………………… 83
　…の目的………………… 20、82
評価カンファレンス………… 154
フェイスシート……………… 79
フォーマルサービス………… 146
訪問介護計画………………… 32

ま

目標…………………………… 16
　…の設定…………………… 65
モニタリング……………… 148

や

要介護認定………………… 146

ら

立案カンファレンス……… 154
倫理的な配慮………………… 29

『最新 介護福祉士養成講座』編集代表（五十音順）

秋山 昌江（あきやま まさえ）
聖カタリナ大学人間健康福祉学部教授

上原 千寿子（うえはら ちずこ）
元・広島国際大学教授

川井 太加子（かわい たかこ）
桃山学院大学社会学部教授

白井 孝子（しらい たかこ）
東京福祉専門学校副学校長

「9 介護過程（第2版）」編集委員・執筆者一覧

編集委員（五十音順）

伊藤 優子（いとう ゆうこ）
北海道医療大学先端研究推進センター客員教授

久保田 トミ子（くぼた とみこ）
広島国際大学名誉教授

三好 弥生（みよし やよい）
高知県立大学社会福祉学部准教授

横山 孝子（よこやま たかこ）
熊本学園大学社会福祉学部教授

執筆者（五十音順）

荒川 泰士（あらかわ たいし） ……………………………… 第3章第2節事例3
有限会社あらたケアサービス代表取締役

伊藤 優子（いとう ゆうこ） ……………………………… 第1章
北海道医療大学先端研究推進センター客員教授

久保田 トミ子（くぼた とみこ） ……………………… 第1章第1節、第4章、第5章第1節
広島国際大学名誉教授

河内 康文（こうち やすふみ） ……………………………… 第3章第2節事例3
高知県立大学社会福祉学部准教授

越野 淳子（こしの じゅんこ） ……………………………… 第3章第2節事例1
なごみ居宅介護支援事業所介護支援専門員

末廣 洋子（すえひろ ようこ）……………………………………… 第5章第2節事例3
山口芸術短期大学保育学科准教授

関根 良子（せきね りょうこ）……………………………………… 第5章第2節事例1
フットケアサロン歩行・足の健康研究会代表

高岸 アサミ（たかぎし あさみ）………………………………… 第5章第2節事例6
介護老人福祉施設白川の里副施設長

田中 眞希（たなか まき）…………………………………………… 第3章第2節事例2
高知県立大学社会福祉学部助教

戸田 美佐（とだ みさ）……………………………………………… 第5章第2節事例2
医療法人社団松涛会老人保健施設コスモス

眞鍋 誠子（まなべ せいこ）……………………………………… 第5章第2節事例5
今治看護専門学校副校長

三好 弥生（みよし やよい）………………………… 第3章第1節・第2節事例4
高知県立大学社会福祉学部准教授

山口 千果（やまぐち ちか）……………………………………… 第5章第2節事例6
熊本学園大学社会福祉学部特任助教

横山 孝子（よこやま たかこ）……………………………………………… 第2章
熊本学園大学社会福祉学部教授

吉松 倫子（よしまつ みちこ）…………………………………… 第5章第2節事例4
特別養護老人ホーム梅光苑リハビリ主任

最新 介護福祉士養成講座 9

介護過程 第2版

2019年3月31日	初 版 発 行
2022年2月1日	第 2 版 発 行
2024年2月1日	第2版第3刷発行

編　　集	介護福祉士養成講座編集委員会
発 行 者	荘村　明彦
発 行 所	中央法規出版株式会社
	〒110-0016　東京都台東区台東3-29-1　中央法規ビル
	TEL 03-6387-3196
	https://www.chuohoki.co.jp/
印刷・製本	サンメッセ株式会社
装幀・本文デザイン	澤田かおり（トシキ・ファーブル）
カバーイラスト	のだよしこ
本文イラスト	小牧良次
口絵デザイン	株式会社ジャパンマテリアル

定価はカバーに表示してあります。
ISBN978-4-8058-8398-3

本書のコピー、スキャン、デジタル化等の無断複製は、著作権法上での例外を除き禁じられています。また、本書を代行業者等の第三者に依頼してコピー、スキャン、デジタル化することは、たとえ個人や家庭内での利用であっても著作権法違反です。
落丁本・乱丁本はお取り替えいたします。

本書の内容に関するご質問については、下記URLから「お問い合わせフォーム」にご入力いただきますようお願いいたします。
https://www.chuohoki.co.jp/contact/

MEMO

MEMO

MEMO